VIE ET ŒUVRES

DE

M. L'ABBÉ CH. BRAUN.

VIE ET OEUVRES

DE

M. L'ABBÉ CH. BRAUN

PAR

M. L'ABBÉ H. CETTY

Dispersit, dedit pauperibus. Ps. 111

RIXHEIM
IMPRIMERIE DE A. SUTTER
—
1878

A

M. l'abbé Ch. Braun.

~~~~~~~

Plus harmonieuse et plus belle
Ta voix aux anges nouvelle
Dans les célestes concerts
A retenti pour redire
Aux sons divins de ta lyre
Les pieux accents de tes vers.

Ce qu'aujourd'hui je t'envie
N'est pas l'éternelle vie
De ton éternel repos!
C'est ta lyre, c'est l'organe
Par qui même le profane
Peut célébrer un héros.

Mais à défaut d'harmonie
J'invoquerai ton génie
Tes œuvres et tes vertus,
Il suffira pour ta gloire
De rappeler la mémoire
De tes bienfaits méconnus.

Pages, où tremblent les larmes,
Ah! vous aurez trop de charmes
Pour nous et nos cœurs meurtris!
Les larmes mieux qu'un poëme
Honorent celui qu'on aime
Et consolent les proscrits.

H. C.

AVANT-PROPOS.

C'était autrefois une pieuse coutume d'écrire dans les livres de famille la vie des parents illustres qui avaient bien mérité de Dieu et des hommes: car les morts ne sont pas seulement récompensés du bien qu'ils ont accompli, mais aussi de celui qu'ils ont inspiré par leurs conseils et leurs exemples. Telle est la pensée qui anime les pages de ce livre.

La famille de M. l'abbé Braun, désirant rester fidèle à cette touchante tradition du passé, a prié une main amie de lui retracer, pour sa consolation, l'image de celui que Dieu a appelé à lui d'une manière si inattendue. Elle pleure un mort, et, on peut bien le dire, un grand et cher mort, puisque sur sa tombe des voix autorisées ont uni, au nom de l'Eglise et de la patrie, les regrets amers aux immortelles espérances.

Elle répondait ainsi aux vœux des amis qui, le jour des funérailles, sont venus, en si grand nombre, honorer la mémoire de l'homme vertueux, du savant modeste, enlevé trop tôt à leur estime et à leur affection. On se plaisait à rappeler en détail les traits de ce visage aimé, à raconter les nobles actions d'une vie si bien remplie, à publier les vertus et les bienfaits d'une existence uniquement consacrée à la justice et à la vérité.

C'est donc un monument d'affection, de respect, de reconnaissance, qu'il faut élever dans nos âmes à celui que regrette l'Alsace cathotique, que pleure l'amitié, que vénère une famille dont il restera la gloire la plus pure.

Il n'était pas difficile de rassembler les matériaux: ils étaient là dans le cœur des amis qu'il a charmés par la noblesse de son caractère, dans la mémoire des Frères de la Société de Marie, qu'il a édifiés durant plus de vingt laborieuses années, dans la cité de Guebwiller dont il a été un insigne bienfaiteur, et enfin dans les œuvres que son talent nous a laissées.

J'ai recueilli avec un tendre et douloureux

respect les pages écrites sous la dictée du cœur par les amis de M. l'abbé Braun; j'ai senti, en les lisant, courir dans mes veines comme un frémissement de douce et pieuse émotion; j'ai compris que je n'avais qu'à redire ces sentiments pour exciter dans les autres les mêmes émotions.

Du reste, le vrai mérite, la vraie vertu, n'ont besoin ni d'artifices de langage, ni de voiles mensongers: on ne leur doit que la vérité.

H. C.

Guebwiller, le 2 Février 1878.
Fête de la Purification de la Sainte Vierge.

CHAPITRE I.

Education. — Lachapelle. — Collége de Strasbourg. — Grand-Séminaire.

Une sainte vie vient de s'éteindre en Dieu. M. l'abbé Ch. Braun est mort le 24 juin à Einsiedeln, en Suisse, laissant un grand deuil dans le cœur de tous ceux qui ont pu l'approcher de près et jouir de la familiarité de ses vertus.

Aujourd'hui, que Dieu l'a enlevé à l'estime et à l'affection de ses nombreux amis, on se demande ce qu'il faut le plus admirer en lui, la modestie de son érudition, la finesse de son esprit, la bonté de son cœur: vrai poëte, poëte chrétien et religieux, écrivain populaire, homme de bien et de dévouement, prêtre aux fortes et énergiques vertus, il est une des gloires les plus pures de sa patrie.

M. l'abbé Ch. Braun était né à Guebwiller, le 20 juillet 1820, de parents qui vivaient dans une grande aisance. C'était un bel enfant, au teint vermeil, à la tête blonde, au regard doux et limpide. Madame Braun, sa mère, le montrait avec orgueil comme l'enfant de son cœur, et eut toujours pour lui un amour de prédilection. Le petit Charles le méritait bien: la bonté de son âme, la vivacité de son esprit, donnaient à sa figure quelque chose de sympathique et y répandaient à la fois la finesse, la candeur, l'ingénuité.

Sur les bancs de l'école primaire, il annonça déjà les plus heureuses dispositions. Son maître admira plus d'une fois l'étonnante facilité avec laquelle il apprenait, comme en se jouant, les notions de grammaire et les premiers éléments des langues.

L'abbé Axinger, qui tenait une école secondaire à Guebwiller, le prépara aux études latines. Ce maitre intelligent devina les talents poétiques de son élève, et sut lui inspirer, par des lectures sagement distribuées, le goût de la poésie allemande. La vocation du poëte se dessinait: on le voyait souvent, l'œil en feu, absorbé dans la lecture d'une ballade qui le ravissait; puis, pensif et silencieux, répéter à son âme les beautés qu'il venait d'admirer.

L'enfant avait 13 ans: il dut quitter le Florival et ses montagnes pour aller, sous un ciel moins beau, se former à la science et à la vertu.

Ce fut un cruel moment pour la mère et pour l'enfant !

Le collége de Lachapelle était, à cette époque, l'établissement qui avait la confiance des familles catholiques de l'Alsace. Ch. Braun y fut envoyé en 1833 et y fit ses classes jusqu'en rhétorique. Il se plaça immédiatement au premier rang, et mérita toujours l'estime et l'amitié de ses maîtres et de ses condisciples. Le principal du collége, l'abbé Stumpf, l'avait pris en singulière affection : il se plaisait à provoquer les réparties vives et piquantes du jeune élève, et à exciter les saillies de son pétillant esprit.

C'était plaisir de le voir en récréation. Tous les jeux l'intéressaient et il y mettait tant de passion, qu'il entraînait les plus mous et les plus indifférents. Il détestait instinctivement les promenades philosophiques, ou, pour mieux dire, les promenades paresseuses le long de la cour. Sauter, courir, batailler, crier, tomber pour se relever et recommencer à gambader, était un besoin de sa nature. Lui aussi s'écriait volontiers comme cet enfant du Midi, espiègle et poëte comme lui : »Riches enfants, petits mignards, vous qui, accroupis dans un salon bien chaud, vous endormez sur des capucins de cartes, ou qui suez à faire un petit saut... vêtus, vous autres, vous vous en-

rhumez dedans; demi-nus, nous autres, nous nous
portons bien dehors.« [1])

Au milieu des jeux les plus bruyants et des
courses les plus vagabondes, il conservait la
joyeuse pétulance de son esprit. Arrivait-il à l'un
de ses amis de laisser échapper l'un de ces ger-
manismes, si fréquents dans la bouche des nou-
veaux-venus, il trouvait aussitôt à forcer la note
et à décocher son mot plein de finesse et d'à-
propos. Il faisait rire, mais ne blessait jamais:
on connaissait la bonté de son cœur et on lui
pardonnait la vivacité de son esprit.

Ce cœur en effet n'était point égoïste: les frian-
dises de la mère, les gâteaux de la famille, lui
semblaient meilleurs, quand d'autres les parta-
geaient; et, il mettait à les offrir tant de délicatesse, que les moins fortunés n'éprouvaient aucune
gêne à les accepter. Aimable et serviable envers
tous, il était toujours prêt à aider ses condisciples
moins bien doués, sans jamais s'en prévaloir. La
modestie, qui est le vrai cachet de l'homme de
mérite, était déjà une des vertus de sa vie stu-
dieuse. Les succès, qu'il obtenait à la fin de
chaque année, n'étaient pas capables de flatter
son amour-propre: il les aimait uniquement parce

---

[1]) Jasmin, mes nouveaux Souvenirs.

qu'ils réjouissaient le cœur de sa mère; mais il ne connaissait ni les prétentions ni les exigences de la vanité.

Un jour on lui assigna un poste d'honneur et de confiance: il le refusa modestement, et ne consentit à le remplir que sur les ordres formels, ou pour être plus exact, sur les menaces du supérieur; les qualités du cœur, que nous admirerons dans l'homme mûr, se rencontrent ainsi, dans toute leur fraîcheur et avec tout leur parfum, dans le jeune homme. Les vertus du collégien préparent les vertus du prêtre.

Quo semel est imbuta recens, servabit odorem Testa diu. [1])

Enfance en plein air, excursions lointaines, ascensions hardies, nuits passées à la belle étoile, M. Braun se rappellera tous ces souvenirs de jeunesse. Son grand bonheur était de rentrer dans sa famille pour les vacances. Une mère affectueuse l'attendait avec impatience pour lui prodiguer ses caresses; une nature, toujours plus belle et plus attrayante, l'invitait sans cesse à la visiter, à l'admirer à l'aimer; des compagnons d'enfance saluaient son retour avec enthousiasme: enfants de la montagne, ils brûlaient de revoir

---

[1]) Hor. Epi. 2.

ensemble les lieux témoins de leurs premiers
ébats.

Les vacances le rendaient pour un temps à la
nature et à sa famille: levé avant l'aurore, le
jeune touriste partait pour ses chères montagnes;
il errait à l'aventure, se traçait des chemins nouveaux, recueillait de nouvelles impressions, affectionnait davantage les rochers et les cascades; il
s'égarait au milieu des halliers et des forêts, et
s'il arrivait trop tard pour saluer les lueurs in-
certaines du jour naissant, il disait en riant: »Je
n'ai pas vu le lever du soleil, mais j'ai vu le
soleil levé.«

Puis en admirateur passionné de la nature, il
s'asseyait sur les bruyères, ou s'enfouissait dans
la verdure, et, parcourant des yeux l'immense
amphithéâtre des Vosges et de la Forêt-Noire, il
s'écriait dans un transport de poétique admiration: »A toutes ces beautés il manque une voix
pour les faire connaître, un poëte pour les faire
aimer. Eh bien! je serai cette voix, je serai ce
poëte.« Nous verrons comment il tiendra parole,
et comment il chantera ce qu'il appelait déjà alors
»le plus beau pays du monde.«

Le collégien s'était déjà essayé à chanter: il
avait trouvé à Lachapelle des maîtres qui surent
développer en lui le goût et l'amour du beau.

Le professeur de troisième, M. Lichtlé, avait fructueusement glané dans la poésie et la littérature allemandes. Il lisait quelquefois à ses élèves les suaves productions de Christophe Schmid, les rendait attentifs à ces charmants récits écrits avec autant d'élégance que de simplicité. Il leur traçait aussi les règles de la versification et leur dictait un petit traité de prosodie allemande; puis joignant la pratique à la théorie, il leur donnait à composer quelques strophes rimées.

M. Zæpfel, professeur de seconde, était ami du grand siècle et admirateur enthousiaste des poëtes de la Restauration. Corneille et Racine n'avaient pas de plus fervent disciple, Châteaubriand, Lamartine et V. Hugo de plus chaleureux interprète. Il avait de plus la chaleur communicative, car il savait lire »avec âme« et sentiment. Il ravissait les moins ardents, quand il lisait un passage des Martyrs, ou quelques strophes du »Chant du Sacre«. Sa voix avait alors un accent qui trahissait les émotions de son âme et forçait à les partager.

M. Marula, professeur de rhétorique alliait le culte et l'amour des belles-lettres avec le culte et l'amour de son pays. Comment oublier un des plus nobles enfants de l'Alsace, le jésuite Balde, celui que les Anglais appelaient »l'Horace allemand« ? Il regardait comme un devoir de révéler à ses élèves cette gloire nationale, qui avait écrit dans la langue de Virgile avec la facilité et la pureté des écrivains d'Auguste. En même temps il leur signalait l'évêque Ladislas Pyrcker comme le poëte qui, en Allemagne, avait réussi le mieux à donner à ses hexamètres la forme antique.

Le jeune Braun ouvrait son cœur et son intelligence à toutes ces révélations, mais son âme se sentait plus doucement inclinée vers la poésie française. La langue de Racine et de Boileau lui semblait plus claire et plus précise que la langue de Gœthe et de Klopstock, qu'il trouvait trop vague, trop »nébuleuse«. La Messiade l'avait ennuyé: c'était, à son avis, de la prose mesurée, fatigante. Le Faust de Gœthe se perdait dans des abstractions et des rêveries qu'il qualifiait »d'indigestes«. Hebel seul le charmait sans restriction.

Heureusement ces impressions durèrent peu. Un de ses condisciples chercha à lui démontrer que »ce quelque chose de vague et de nébuleux« n'était pas tant le propre de la langue même, que le fait des auteurs qui avaient imprimé à leur style le vague des idées et des opinions de leur temps. Compare, lui disait-il, la poésie allemande

à la poésie française; la supériorité de la première est évidente. Tandis que le vers français
évite avec peine la raideur et la monotonie et
cherche en vain le rhythme et la cadence, le vers
allemand, riche, varié, facile, rivalise d'harmonie
avec la langue de Pétrarque et du Dante.

Pour un élève qui venait d'entendre réciter
»avec âme« une Méditation poétique de Lamartine, une Ombre ou un Rayon de V. Hugo, la
thèse ainsi soutenue pouvait paraître exagérée.
Cependant il était difficile de méconnaître le grand
fond de vérité qu'elle renfermait. Un jour, à la
fin d'une discussion, Braun dit à son ami avec
un fin sourire: »Tu ne parles pas tout-à-fait
comme un livre, mais en somme je crois que tu
dis vrai, et pour conclusion je vais relire un chapitre du traité de versification, et puis une ballade de Schiller.«

Ces discussions avaient uni deux intelligences!
Union douce et féconde, elle a duré quarante
années, toujours retrempée aux sources de cette
poésie, qu'elles avaient saluée ensemble au printemps de la vie!

Mais en même temps les cœurs s'étaient ren-
contrés: les discussions de l'esprit avaient préparé les ouvertures du cœur. On ne se contentait pas de disserter et de discuter, on parlait

quelquefois du lendemain. L'avenir, embelli des
couleurs de l'idéal, enrichi du trésor de nos espérances, n'est-il pas le rêve de toute âme généreuse, à cet âge, où l'on ne sait encore ni désespérer des autres, ni douter de soi-même? Les
deux amis avaient ici plusieurs points de contact:
ils voyaient et embrassaient le même idéal, le
peuple à instruire, le pauvre à soulager. On se
plaçait cependant à un point de vue différent.
Braun pensait que comme médecin il pourrait le
mieux servir l'ouvrier et le peuple; il invoquait
pour justifier sa manière de voir l'impossibilité
de donner au peuple du haut de la chaire une
instruction complète. Comment en effet faire son
instruction civile et politique autrement que par
les bons livres et par les bons journaux? Or,
comment composer les uns et fonder les autres
au milieu des occupations du saint ministère?
Son ami, au contraire, croyait que, comme prêtre
catholique, il lui serait plus facile de s'attacher
l'ouvrier et de gagner l'amour du peuple; il en
appelait pour le prouver à l'histoire et à l'expérience, et citait l'exemple de l'évêque Sailer et
du chanoine Schmid en Allemagne, de plusieurs
prêtres en Alsace, qui tous avaient bien mérité
des belles-lettres, de la patrie et de l'Eglise.

Braun était ébranlé sans être pleinement persuadé. Dieu fit le reste. En 1839, en faisant ses adieux à son ami, il lui dit: »Avant de nous séparer, j'éprouve le besoin de te confier un secret. J'ai réfléchi à tout ce que tu m'as dit du prêtre et du médecin; j'ai consulté Dieu et mes maîtres; mon parti est pris: je serai prêtre. Donc au revoir, à Strasbourg dans deux ans! Mais n'oublie pas que c'est encore un secret.«

Pendant que les deux amis donnaient libre cours à leurs naïves aspirations, les parents de Braun rêvaient pour lui une brillante carrière. Soit pour éprouver son âme, qui avait déjà soif de dévouement, soit pour lui faire entrevoir le mirage séducteur du monde, ils le retirèrent du collège, qu'il avait tant aimé, et l'envoyèrent étudier la rhétorique au collége royal de Strasbourg, où professait Collin, depuis professeur d'académie. Mais Dieu avait parlé à son âme: les espérances trompeuses de l'avenir n'avaient plus de prise sur elle; rien n'était capable de l'entraîner hors de sa voie, ou de la détourner de la pente de son esprit et de son cœur. Elle resta à Strasbourg ce qu'elle avait été à Lachapelle: laborieuse, active, vertueuse, sans affectation, sans arrière-pensée. Ici comme là, les mêmes succès couronnèrent les mêmes efforts. Le milieu avait changé, la vertu était restée la même.

Adeo in teneris consuescere multum est. [1]

L'année terminée, le rhétoricien, dont la vocation s'était affermie, se présentait au petit-séminaire de Strasbourg pour y commencer la philosophie. Il était arrivé à cet âge critique, où le jeune homme se demande quel sentier il va choisir; en cœur généreux, il n'hésita point; son choix était fixé depuis longtemps; il voulait gravir les hauteurs escarpées du sanctuaire.

La philosophie était comme le portique du temple, où il voulait se consacrer au Dieu de sa jeunesse. Il y entra résolument, désireux de se familiariser avec ces grandes questions, qui sont le tout de l'homme. La solidité de son jugement, la droiture de sa raison, la forte trempe de son esprit, devaient naturellement le signaler à l'attention de ses maitres. M. Reich, son professeur, ne se trompa pas à son sujet. Une vive émulation présida à ces études: on se rendait aux cours de l'Académie: on assistait aux conférences et aux discussions publiques. Joseph Ferrari, réfugié italien, plus tard chef des carbonari, faisait alors en mauvais français des cours philosophiques et glissait sur la pente du panthéisme, ap-

---

[1] Virg. Georg. II, v. 272.

plaudi par quelques étudiants, qui goûtaient l'homme politique plus que le métaphysicien.

Les études philosophiques achevées, M. Braun alla frapper à la porte du grand-séminaire.

C'était en 1842: une ère nouvelle semblait s'ouvrir pour l'Eglise, ère de gloire et de liberté. Châteaubriand, qui avait cherché l'étincelle du feu sacré sous les débris du sanctuaire, avait vengé les saintes causes et forcé l'admiration des plus indifférents. La poésie se relevait chrétienne et religieuse et tirait de la lyre de Lamartine et de V. Hugo les plus pures harmonies. Joseph de Maistre devenait populaire et allait après sa mort à une célébrité toujours grandissante. De Bonald avait posé, avec une autorité magistrale, les bases d'une philosophie vraiment chrétienne. Lamennais était tombé, mais les derniers échos de sa voix puissante sortaient encore du fond de l'abîme, comme le grondement du tonnerre. Montalembert étonnait les vétérans de l'éloquence parlementaire et entrait dans la plus riche adolescence de sa gloire. Lacordaire entraînait la jeunesse par les accents d'une voix, qui rappelait parfois S. Bernard ou Bossuet. Mgr. Parisis montait à l'assaut de l'incrédulité avec l'énergique courage de S. Hilaire; l'abbé Gerbet se préparait à devenir le chantre sacré, le poëte de la théologie; L. Veuillot taillait sa plume, et les catholiques se serraient en phalanges pour emporter à la pointe de l'épée la liberté d'enseignement.

A l'entrée de chacune des voies de l'intelligence, Dieu avait placé un grand homme. De plus, on était fraternellement uni; on poursuivait ensemble le despotisme et l'impiété jusque dans leurs derniers retranchements; on combattait ensemble, on tombait ensemble, on se relevait, on triomphait ensemble. Des pressentiments de liberté s'emparaient des moins ardents: pour la jeunesse, c'était l'espérance de la victoire, l'extase du triomphe.

Tous ces sentiments s'agitaient à Strasbourg à l'ombre du sanctuaire. Le séminaire, dans sa mystérieuse retraite, recevait les confidences des jeunes lévites, qui se préparaient, dans l'étude et la prière, aux luttes sacerdotales, et qui suivaient d'un regard d'envie ceux en qui ils saluaient leurs pères et leurs maîtres. »Inde genus albanum latinique patres.«

Ces jeunes lévites formaient une véritable élite de bons esprits. L'abbé Ch. Martin, intelligence noble et élevée, caractère ferme et énergique, cœur prêt à tous les dévouements, brûlait de prendre part à la lutte que la liberté livrait au

despotisme de l'Université; il avait au fond de
son âme la flamme sacrée; il osait dire avec cet
irrésistible pressentiment, qui ne trompe pas:
»Pour moi, je veux au sortir du séminaire devenir professeur, principal d'un collége de Colmar
afin de lutter contre la tyrannie de l'Université.«

L'abbé Freppel portait ses ambitions plus
haut; les humbles et modestes fonctions du ministère ne pouvaient contenter son cœur; il rêvait
d'autres destinées, trouvant dans son intelligence
et son esprit assez de force et d'énergie pour les
remplir.

L'abbé J. Guerber trempait son esprit aux
sources du beau et dérobait à la langue de Schiller et de Gœthe ses plus mystérieux secrets, au
profit d'une imagination riche de poésie, de fiction
et d'idéal.

L'abbé Braun avait sa place marquée dans ce
petit aréopage : son esprit plein de saillies, son
intelligence ouverte à tous les problèmes, sa raison droite et sûre, son imagination de poëte,
étaient autant de titres à l'estime de ses condisciples.

Rien de plus beau que le spectacle de ces
quelques amis, tout de feu pour le bien, parta-
geant les mêmes illusions et les mêmes espérances, brûlant de s'associer au vaste mouvement,

qui ébranlait la France catholique. L'abbé Braun
avait su se ménager des intelligences hors du
séminaire; il introduisait par contrebande »l'Univers« et d'autres journaux et les communiquait
à ses amis. On savourait ensemble les éloquentes
protestations des évêques de Langres et de Char-
tres, on lisait ensemble les magnifiques plaidoyers
des champions de la liberté, avec tout l'enthousiasme, que nourrit un cœur de 20 ans, et avec
tout l'attrait du fruit défendu.

Les vocations se dessinaient ainsi pour chacun: on se mettait au travail avec une ardeur
que rien ne pouvait lasser; on discutait les questions qui s'agitaient dans le monde, on prenait
fait et cause pour les uns ou pour les autres
avec la passion d'un preu du moyen-âge.

M. Braun partageait les espérances des uns,
les émotions des autres. Il avait des points de
contact avec tous: son esprit et son cœur le portaient tout à la fois vers l'enseignement et vers
le journalisme. Avec l'abbé Martin, il convenait
que le plus grand, le plus noble service, qu'on
pût rendre à sa patrie, c'était de se dévouer à
l'éducation de la jeunesse. Avec MM. Berger et
Kœuffer, il rêvait de fonder un journal populaire,
écrit dans la langue du pays. Avec d'autres, il
parlait d'art et de littérature. L'abbé Braun se

trouve là tout entier: Ce sera l'œuvre de sa vie
de réaliser les espérances qu'il avait conçues au
séminaire.

Cependant au milieu de ces agitations, qui
occupaient son esprit peut-être au détriment de
la théologie, sa pensée le reportait sans cesse
vers sa patrie. Mieux qu'Ovide il savait dire:

Nescio qua natale solum dulcedine cunctos
Ducit et immemores non sinit esse suî.

Le Florival eut ses premiers amours. Il publia
au séminaire quelques articles sur le vallon, qu'il
devait chanter plus tard avec tant de bonheur.
Son cœur lui répétait souvent:

Ah! c'est là qu'entouré d'un rempart de verdure
D'un horizon borné, qui suffit à mes yeux
J'aime à fixer mes pas, et seul dans la nature
A n'entendre que l'onde, à ne voir que les cieux [1])

Si les habitudes de l'esprit se développaient
avec une si exubérante fécondité, les qualités du
cœur s'épanouissaient dans leur douce et sereine
beauté. Le séminaire a le privilége d'imprimer
dans les âmes le sceau divin: ces études, qui
viennent du ciel, et qui y conduisent; ce calme
et ce recueillement que rien ne trouble; la sainte
familiarité de Dieu, qui semble ne rien refuser

---

[1]) Lamartine, Médit. poét.

à ceux qui lui ont offert les prémices de leur
jeunesse; cette vie de prière enfin remplit le cœur
de fortes et saintes pensées, et imprime dans
l'âme les vertus sacerdotales.

L'abbé Braun avait généreusement répondu à
l'appel de Dieu: il avait renoncé, sans hésitation,
aux plus belles espérances, heureux et fier d'un
honneur, qu'un monde égoïste peut méconnaître,
mais qu'un cœur vraiment chrétien estimera toujours à sa juste valeur. Il s'était présenté avec
tous les trésors de son âme: son dévouement, sa
modestie, son désintéressement, sa charité; et
toutes ces vertus, sous l'action de la grâce, crois-
saient et se fortifiaient pour porter plus tard des
fruits de salut et de bénédiction. Alors se for-
mait en lui cette indomptable fermeté, qui devait
être une des vertus caractéristiques de sa vie.
Il ressentait dès lors une invincible répugnance
pour tout ce qui touchait, de près ou de loin, à
ce qu'on est convenu d'appeler la prudence du
siècle. Les lâches calculs, la louange hypocrite,
l'horrible dissimulation, la souplesse basse et
rampante, indignaient son âme inaccessible à de
pareils sentiments.

Cette fermeté s'alliait en lui à une solide piété.
L'esprit de M. Liebermann était encore vivant au
séminaire. Mais sa piété ne se trahissait point

en dehors : c'était une flamme intérieure, cachée
par un extérieur froid. Alors comme plus tard,
il tenait au fond du cœur ses convictions les plus
chères, ses aspirations les plus vives: toujours
réservé, toujours modeste, il avait ce que Mme.
Staël appelle »la pudeur du sentiment.«

CHAPITRE II.

Ministère. — Enseignement. — Oeuvre des Allemands à Paris.

En 1845, l'abbé Braun se reposait dans sa famille, quand une nomination inattendue vint l'arracher subitement à ses rêves et à ses ambitions. L'évêque de Strasbourg avait jeté les yeux sur le jeune lévite, dont les talents avaient été remarqués, et l'appelait, malgré son jeune âge, à entrer dans le pensionnat Wilhelm-Mury. Il lui en coûta de quitter le grand-séminaire, où il laissait ses amis d'intelligence, où il avait pu se livrer, avec une entière liberté, à ses études favorites. Mais s'il quittait ses amis, il en retrouvait d'autres, et puis, il se rapprochait des enfants, vers lesquels se portaient déjà les affections de son cœur. Il semblait que l'enseignement allait devenir sa carrière définitive. Dieu avait d'autres vues. L'abbé Braun ne resta que dix-huit mois au milieu de cette jeunesse, jusqu'en 1846, année de son ordination.

Les grâces du sacerdoce n'étaient pas descendues sur une terre ingrate: le prêtre s'était relevé des dalles du sanctuaire, transformé en apôtre, rempli de la passion du sacrifice. Une voix intérieure lui disait: »Et non erat qui frangeret eis panem, ils n'ont personne pour leur rompre le pain.« Cette voix se fit entendre plus fortement le jour de sa première messe, célébrée au milieu de sa famille. L'œuvre des Allemands avait germé dans son cœur; dès septembre 1846, M. Braun se trouvait à Paris.

Il y avait alors dans la capitale près de 80,000 Allemands, disséminés dans les différents quartiers de l'immense cité. Le faubourg St.-Antoine en comptait près de 30,000; le faubourg Ste.-Marguerite près de 20,000; les autres se groupaient çà et là autour du Panthéon. C'étaient principalement des Allemands venus des bords du Rhin ou du Luxembourg, des Alsaciens et des Lorrains: presque tous étaient catholiques. Il y avait dans le nombre des milliers qui durant 20 et 30 ans n'avaient plus vu de prêtre allemand; d'autres n'avaient jamais visité d'église; la plupart avait oublié les devoirs et les obligations de la foi chrétienne.

Pendant la Restauration, on avait fondé l'œuvre des Allemands, sous la présidence du duc de

Bordeaux. L'abbé Bervenger de Sarrlouis, dont le nom et la vertu étaient si populaires à Paris, s'y était dévoué avec le plus grand succès. Il avait à la cour des amis, dont la royale charité faisait face à toutes les dépenses. Les ouvriers et les apprentis avaient leurs offices, leurs cercles, leurs écoles du soir, leurs asiles pour les malades. Tout prospérait, quand la révolution de juillet vint détruire de fond en comble une œuvre qui rappelait trop les nombreux bienfaits de la maison des Bourbons.

Le gouvernement de Louis-Philippe fut plus hostile que bienveillant. Il s'organisa, sous la protection de la duchesse d'Orléans, un véritable système d'apostasie. Les églises catholiques étaient livrées aux protestants; des écoles, des asiles, des hôpitaux étaient créés, non dans un but de charité, mais pour engager les catholiques à abjurer leur foi. Ceux-ci ne possédaient pas dans tout Paris une seule église, qui pouvait être regardée comme leur église; souvent ils avaient deux ou trois lieues à faire pour assister à un office célébré dans leur langue. Un ou deux prêtres, abandonnés à eux-mêmes, sans protection, sans ressources, s'efforçaient vainement de se multiplier! Comment secourir tant de milliers d'hommes, comment visiter les malades dispersés dans les hôpitaux, comment réunir et instruire les enfants?

Tant de misères touchèrent le cœur de l'abbé Braun: n'écoutant que son courage et sa foi, il résolut de consacrer à cette œuvre les prémices de son ministère. Elle demandait l'immense charité de l'apôtre, l'infatigable dévouement du missionnaire. Sa santé avait toujours été délicate: d'autres, moins généreux, auraient craint de succomber à une œuvre si pénible, mais en homme de Dieu, il ne songea qu'au bien à faire, aux âmes à sauver.

On le vit donc dans le faubourg St.-Antoine, dans le quartier Ste.-Geneviève, à la Villette, à la recherche de ces Allemands, qui erraient dans la capitale comme des brebis sans pasteur. Rien ne le rebutait, rien ne le décourageait: il s'engageait résolûment dans le dédale des rues étroites de ces quartiers; il pénétrait dans les mansardes, s'introduisait dans les familles, toujours prêt à consoler ces pauvres abandonnés.

Mais le principal théâtre de son activité était le quartier de la Villette: M. Braun y était aimé comme un père; son nom était connu de tous; sa parole triomphait des plus endurcis; ses conseils ébranlaient les plus récalcitrants; tous devinaient en lui l'âme aimante, le cœur dévoué.

Aussi quand l'heure de la séparation arrivera, ce sera une véritable désolation parmi les pauvres de ce quartier.

Il s'intéressait surtout aux enfants. Comment les réunir? Comment leur assurer l'instruction religieuse? Comment leur apprendre à prier, à aimer Dieu? M. Braun eut le bonheur de préparer la fondation des écoles, qui, à la Villette et à Ste.-Marguerite, devinrent, sous la direction des sœurs, d'excellentes écoles catholiques. L'œuvre des Allemands devenait de plus en plus son œuvre: il connaissait de mieux en mieux le terrain qu'il arrosait de ses sueurs; il multipliait ses courses, inventait de pieuses industries, s'adressait à la charité de tous. Bientôt il put acheter des livres allemands, créer de petites bibliothèques, organiser des caisses de secours etc., la Villette se transformait insensiblement en paroisse.

Cependant de nouveaux ouvriers étaient arrivés: la congrégation de Picpus commençait à évangéliser le faubourg St.-Antoine, et les Allemands répondaient avec empressement à l'appel qui leur était adressé. M. Braun se réjouissait de ces résultats, et remerciait Dieu qui avait donné l'accroissement au petit grain de senevé. Il allait voir mûrir la moisson, quand la maladie l'obligea à renoncer à une œuvre, où il aurait

encore pu faire tant de bien. Il rentra dans sa
famille pour restaurer une santé fortement ébranlée par les fatigues de ce glorieux mais pénible
ministère.

C'était une perte presque irréparable pour
l'œuvre des Allemands; l'abbé Braun ne se contentait pas d'épuiser les forces de son corps et
de dépenser tous les instants de sa vie; il donnait tout ce qu'il avait, son argent, ses livres, ses
habits; il ne lui restait qu'une chose: le regret
de ne pouvoir donner davantage. A Paris, on le
comprit ainsi. M. Mosblich, supérieur de la Congrégation de Picpus, ne craignait pas de dire à
l'abbé **Martin**, alors à l'école des Carmes: »Ah!
si j'avais douze prêtres dans la position de M.
l'abbé Braun, avec son zèle et son humilité, nos
Allemands seraient sauvés.«

La séparation fut douloureuse; le prêtre ne
quitte pas sans serrement de cœur les âmes qu'il
a enfantées à Jésus-Christ. Si le grand Apôtre
éclata en sanglots en disant adieu à ses néophy-
tes, M. Braun dut verser plus d'une larme en
quittant ses Allemands. Il aurait voulu leur
laisser un autre lui-même, un Tite ou un Timo-
thée. Le chercher, le trouver, fut son premier
souci, quand il fut de retour en Alsace. Il s'a-

dressa à plusieurs de ses amis, et n'eut de repos,
que quand il vit ses vœux remplis.

Bientôt de bonnes nouvelles lui arrivèrent de
sa »chère mission«. L'œuvre des Allemands sortait enfin de l'état précaire dans lequel elle avait
vécu jusque-là. La compagnie de Jésus était chargée de la diriger dans tout le diocèse de Paris.
Le P. Chable, confiant dans l'avenir, en fit l'œuvre
de sa vie. Une mission fut prêchée avec grand
fruit, et le 8 Décembre 1850, on consacrait la
première chapelle allemande. »Enfin, disait le
nouvel apôtre, vous avez une maison, une demeure, que vous pouvez appeler votre demeure,
votre maison. Sans doute, ce n'est encore qu'un
pauvre atelier, comme l'atelier de S. Joseph, le
patron de notre chapelle. Mais rappelez-vous que
ce fut dans cet atelier, que le Sauveur reçut les
plus belles et les plus touchantes adorations.«

Le P. Chable avait choisi S. Méry pour sa
cathédrale; mais il affectionnait d'une manière
particulière la Villette. M. Braun était heureux
de l'apprendre de l'un de ses amis.

Hanc fertur terris magis omnibus unam
Post habitâ coluisse *Mery.*

En même temps deux jeunes prêtres alsaciens
étaient attachés à l'église des Carmélites, près du
Luxembourg; à la Villette, à Ste.-Marguerite, à

St.-Méry on se réunissait tous les dimanches à
des heures fixes, et il n'était pas rare d'y voir
accourir les Français, curieux d'entendre les
hymnes et les cantiques des Allemands.

Les besoins grandissaient, les ressources devenaient de plus en plus insuffisantes. M. Braun,
qui savait par expérience combien la pauvreté
pèse lourd sur le cœur d'un apôtre, ouvrit une
souscription dans son *Volksfreund* en faveur de
l'œuvre des Allemands à Paris, et envoya, au
nom des catholiques d'Alsace, l'offrande de la
charité. Le P. Chable remercia vivement les
généreux donateurs. »Le jubilé, écrivait-il, a rempli nos cœurs de joie et de consolation. On
commence à savoir dans cette immense cité qu'on
annonce la parole de Dieu en allemand, et qu'il
y a ici des confesseurs allemands. Durant cinq
semaines, j'ai passé toutes mes journées au con-
fessionnal, depuis 6 heures du matin jusqu'à 8
heures du soir. Mais, ajoutait-il, notre chapelle
provisoire peut à peine contenir le quart des fidèles, qui la fréquentent: nous avons donc loué
une place pour la construction d'une grande église.
Tant que nous n'aurons pas une grande église
allemande, nos travaux et nos efforts seront en
quelque sorte perdus. Si l'Alsace le veut, la
chose se fera. Venez donc à notre secours.«

CHAPITRE III.

Journalisme. — „Volksfreund“.

La monarchie de Juillet était tombée honteusement sous les coups de la Révolution de Février; pas un coup de fusil n'avait été tiré dans la province en faveur d'un gouvernement sorti lui-même d'un coup d'état. Le parti révolutionnaire, étonné d'un triomphe si facile, se mettait hardiment à l'œuvre pour assurer le succès de ses combinaisons, et pour donner à la France une nouvelle constitution. Deux partis, bien tranchés, cherchaient à faire prévaloir leurs ambitions: les uns, comme Lamartine, Arago, et les hommes du National désiraient une république honnête et loyale, basée sur les principes de 89; les autres, comme Ledru-Rollin, Louis Blanc, Albert, poussaient aux extrêmes, et remontaient aux souvenirs de 93. Chez les uns comme chez les autres, les »immortels principes«, la souveraineté du peuple, la liberté de conscience, l'égalité civile, la fraternité, étaient les formules, qui devaient résoudre toutes les difficultés.

M. Braun, durant son séjour à Paris, avait vu se préparer la révolution de Février: il jugea que l'heure était venue pour lui de prendre son poste de combat, pour conserver au peuple, qu'on trompait, le dépôt sacré des vérités chrétiennes.

Rentré dans sa ville natale, au commencement de l'année 1848, il en fit le centre de son activité. Dès le mois de mars, il arbora le drapeau d'un journal populaire, et fonda le *Volksfreund*, qu'il rédigea jusqu'en 1856, avec un talent qui ne s'est jamais démenti.

»Les barrières, disait-il, qui, dans le monde politique, séparaient le peuple des classes élevées, sont tombées, il n'y a plus de privilèges. Liberté, égalité, fraternité, tel est le triple mot d'ordre de la jeune république, qui s'élève sur les ruines du trône. Déjà chaque citoyen est appelé à jeter dans la balance, où se joue le salut ou la ruine de la France, le poids d'une parole librement exprimée.

»Les droits nouveaux créent des devoirs nouveaux. Au milieu d'un ordre de choses, si plein de dangers pour l'avenir, le *Volksfreund* se propose de montrer au peuple ses droits et ses devoirs, choses éternellement inséparables, et d'habituer ce peuple, qui forme la majorité de la nation, à l'usage des libertés, qui, après Dieu et

la religion, sont le plus noble patrimoine d'un
pays.

»Si la notion du devoir prévient les excès
d'une liberté effrénée, la religion contient le devoir dans ses justes limites. Celui qui ne donne
pas à Dieu ce qui appartient à Dieu, accorde
trop ou trop peu à la loi de l'homme; esclaves
et rebelles n'obéissent qu'à un tyran. Les faits
ont écrit cette vérité en caractères de sang dans
l'histoire de notre patrie. Dieu doit être le souverain d'une république.

»Le *Volksfreund* voudrait donc, pour épargner
à ses concitoyens une nouvelle expérience, réveil-
ler dans le cœur de tous les sentiments vraiment
religieux; il ne veut pas de ce zèle amer, qui,
toujours en lutte ouverte avec les passions qui
le combattent, leur tient lui-même le langage de
la passion; il veut plutôt, fort de ses inébran-
lables convictions, combattre l'erreur et les préjugés avec les armes de la raison, et affirmer le
droit sans oublier le devoir.

»Le motto du *Volksfreund* est donc: liberté
pour tous. Jamais il ne consentira à voir sa religion gémir sous la pression de lois exception-
nelles. Ce ne sera pas de sa faute, si les représentants d'un peuple catholique jettent l'Eglise
catholique dans les fers. A une époque, où la

religion et la liberté renouvellent, à la face du
monde, l'alliance conclue au pied de la croix, les
catholiques français seuls seraient-ils exclus de
cette grande union, à laquelle Pie IX, notre glorieux chef régnant, convie tous les peuples de la
terre? Non; mille fois non!

»Notre programme le voici: 1° Instruire le
peuple en tout ce qui peut contribuer à son bien-
être temporel et à son éducation morale; 2° défendre contre d'injustes attaques et de funestes
doctrines ce qu'un peuple a de plus précieux, sa
religion et son enseignement; 3° donner un court
mais fidèle aperçu de tout ce qui se passe d'intéressant et d'instructif dans le monde.« [1])

Quand M. Braun parlait ainsi, il avait 28 ans,
une santé délicate, une famille inquiète, des amis
qui conseillaient d'attendre. Mais il avait la foi
en Dieu plus forte que la crainte des hommes,
le sentiment du devoir plus vif que le sentiment
de la nature; il avait surtout cette indomptable
fermeté, qui donne tôt ou tard le triomphe. En
effet, alors comme aujourd'hui, le journalisme
était une carrière de dévouement et d'abnégation.
La presse catholique ne conduit celui qui s'y

---

[1]) Prospectus du „Volksfreund.“

dévoue ni à l'argent, ni aux honneurs, ni à la gloire: elle demande au publiciste ses loisirs, sa vie, ses talents, sa fortune, et ne lui promet en retour que les avanies, les outrages, les déceptions.

M. Braun ne se cachait aucune de ces difficultés: esprit positif, raison froide, il ne se berçait pas d'illusions. On trouvait son projet hardi, téméraire, peu goûté du public; on allait plus loin: on osait lui prédire la défaite et l'insuccès. Ce fut en vain: il se sentait appelé à défendre l'Eglise par ses écrits, et il lui avait dit: »Mère, voici ma plume, elle vaut une épée.« Il avait une meilleure opinion du peuple, il ne le croyait pas si indifférent aux questions religieuses et sociales; et il osait s'adresser, lui le premier, aux classes laborieuses, dans une langue que personne, avant lui, ne leur avait encore parlée.

Quant au reste, il était persuadé que la cause de Dieu se défend elle-même et triomphe toujours au profit de ceux qui savent l'embrasser avec amour; que les libertés, chaque jour menacées, ne peuvent être sauvées qu'au prix d'une lutte de chaque jour.

Fallait-il donc laisser l'ennemi ravager impunément nos terres? Il ne le pensa pas. Il se présenta donc comme David, armé de la fronde, mettant sa confiance d'abord en Dieu, et ensuite dans la justice de la cause dont il allait être le champion.

Cette cause était la cause catholique : ce fut là son mérite, ce fut aussi sa force. Oui, il eut le mérite, dès le principe, de soutenir les principes catholiques dans leur intégrité, et de tenir toujours son drapeau haut et ferme, sûr que dans les plis de ce drapeau se cachait la victoire.

M. Braun ne s'était pas trompé : sa parole fut comprise. Dès les premiers numéros, les plus vives sympathies lui furent acquises. On lui écrivait que son *Volksfreund* était la sentinelle des catholiques allemands de la France ; les comités catholiques, organisés à cette époque, distribuaient le journal à la ville et à la campagne ; les hommes le plus éminents du pays le félicitaient de venger la vérité avec autant de charité que de talent. On semblait comprendre que la presse honnête et catholique n'est une puissance, qu'à la condition d'être l'affaire non de quelques hommes ou de quelques catholiques, mais de tous les honnêtes gens.

Le *Volksfreund* embrassa résolument son programme, et son rédacteur déploya aussitôt les nombreuses ressources de son intelligence. Philosophe, critique, historien, apologiste, M. Braun se multipliait à l'infini pour traiter toutes les questions avec un égal succès. Son ton était toujours modéré; il ne séparait pas la science de la charité; il frappait les doctrines avec une juste sévérité, mais il épargnait l'homme; on sentait qu'il cherchait à ménager une voie pour un retour salutaire. Plusieurs de ses articles sont des modèles de polémique chrétienne à imiter. Nous ne citerons que les articles sur les élections, sur les écoles mixtes, sur les deux princes et les deux principes...

La charité n'exclut point les saillies de l'esprit: l'esprit était chez M. Braun un don de la nature. La langue dont il se servait, était allemande, l'esprit, qui l'animait, était éminemment français. Il écrivait pour le peuple et se souvenait à propos du précepte d'Horace: *ridendo castigat mores.* Il possédait le secret de faire rire à un degré supérieur, et cet esprit était toujours du meilleur aloi. Les mauvaises doctrines, les faux principes, fustigés par sa plume, succombaient meurtris et désarmés. On relit aujourd'hui ces articles avec plaisir: on y retrouve ce que nos pères appelaient »le sel gaulois«. M. Braun a pu les faire revivre dans trois éditions successives sans rien y ajouter, sans rien en retrancher: car quelque sujet qu'il ait abordé, il a toujours trouvé le mot juste, le mot catholique.

La politique est mobile et changeante, la vérité et les principes sont fixes et immuables : on
s'explique ainsi pourquoi les articles du *Volksfreund* ont conservé l'actualité, qu'ils avaient en
1848. Il négligeait la politique aussi longtemps
que les intérêts de la religion et de la vérité
n'étaient pas engagés : il ne voulait appartenir à
aucun autre parti qu'au parti catholique. Bien
souvent on l'invitait à accentuer davantage ses
préférences, à prendre plus chaudement fait et
cause pour le roi, le *Volksfreund* résista toujours
à ces sollicitations. Pour y répondre, il écrivit,
à la fin du premier sémestre, cette noble profession de foi : »La politique n'est pas notre fait,
ou, pour mieux dire, nous n'avons d'autre politique que celle de contribuer, dans la mesure de
nos forces, au bien-être et à l'éducation du peuple.
Ce serait méconnaître son vrai caractère, que de
lui inspirer par un verbiage, vide de sens, mais
plein de passion, le goût de ces sortes de lectures. Si notre journal ne doit être qu'une lecture amusante, sans être en même temps une
lecture utile, nous aimons mieux briser notre
plume, que de faire d'une noble et sublime vocation une indigne spéculation.« [1]

---

[1] Volksfreund, t. II, p. 2.

Il ne craignait pas cependant de caractériser, quand l'occasion se présentait, les différents compétiteurs, qui se disputaient le pouvoir. En 1850, un voyage de Louis-Napoléon dans la province, la présence du comte de Chambord à Wiesbaden, les ovations officielles préparées pour l'un, les adresses présentées spontanément à l'autre, lui inspirèrent un parallèle entre »les deux princes et les deux principes« dont ils étaient la personnification. »Louis-Napoléon était par son nom, comme Napoléon par son génie, l'homme d'une situation; Louis-Philippe était l'homme d'un parti, le comte de Chambord est l'homme d'un droit et d'un principe.« [1]) Puis montrant l'inanité de la souveraineté du peuple, qui n'est en définitive que la souveraineté de quelques têtes exaltées, il osait affirmer »que le parti légitimiste avait été le plus solide appui du gouvernement« qu'il avait »partout et toujours consulté le bonheur et la gloire de la nation.«

Mais constamment il revenait à la ligne de conduite, qu'il s'était tracée dès le commencement. »Dans toutes les questions politiques, notre étoile est et sera toujours la religion: astre radieux, elle brille au-delà des nues, et reparaît

---

1) Volksfreund, t. V, p. 68.

toujours après les tempêtes. Comment encore
embrasser un système politique, quand on voit
les plus habiles pris dans leurs propres filets, et
la Providence se jouer de toutes leurs combinaisons! La religion, sa liberté, est aujourd'hui
la seule richesse du peuple: la défendre sera
aussi notre premier devoir. Nous monterons sur
ce rempart comme une sentinelle pour courir sur
ceux qui voudraient violer ce sanctuaire.« [1]

Cette grande idée lui dictait en 1848, après
les sanglantes journées de juin les plus belles
considérations. »La société sans religion est un
navire, qui, poussé d'un écueil à un autre, va
s'engloutir dans l'abîme. L'Evangile est la meilleure constitution des peuples. Nous l'affirmons
hautement, en dehors de l'Evangile, il n'y a point
de planche de salut pour notre société. L'insur-
rection est écrasée, est-elle aussi étouffée? Plusieurs milliers d'insurgés seront bannis, le salut
est-il assuré pour cela? Nous ne le pensons pas.
Les hommes seuls seront bannis; les idées, les
principes, qui ont soulevé la tempête, resteront
en France. L'épée, la baïonnette, le canon, ne
sauraient les en chasser. C'est le cœur qui est
malade: puisse le gouvernement le comprendre

---

[1] Volksfreund, t. II, p. 2.

aujourd'hui, demain, il sera peut-être trop tard.
Chassez Dieu d'un pays, tôt ou tard, vous aurez
l'anarchie, la servitude.« [1])

Au milieu des agitations et de la lutte des
partis, le *Volksfreund* poursuivait tranquillement
son œuvre: instruire et moraliser le peuple. Il
donnait avec une admirable netteté le sens vrai
aux mots de liberté, égalité, fraternité, et définis-
sait la république au point de vue chrétien. Le
véritable progrès, la véritable liberté, il la voyait
dans les âmes agrandies, dans les caractères
affermis, dans les intelligences mieux éclairées;
il la voyait encore dans la justice, la raison,
l'humanité, présidant au gouvernement des peuples. Sortir de là, c'est courir à des guerres
atroces, implacables, armer les peuples en pleine
paix, semer partout la division et l'anarchie, n'a-
voir la sécurité nulle part.

Cette sécurité, il la désirait surtout pour le
Saint-Siége. A Rome, Pie IX avait été salué par
les cris enthousiastes de ceux qui voyaient en
lui le digne successeur de Grégoire XVI, et par
les acclamations de ceux qui espéraient en faire
le docile instrument de leurs ambitions révolu-

---

[1]) Volksfreund, t. I, p. 245.

tionnaires. Le tolle ne tarda pas à succéder à
l'hosanna. Le Pontife, qui était autrefois l'arbitre
entre les rois et les peuples, qui rappelait les uns
à la modestie, les autres à l'obéissance, recevait
des conseils fort étranges de la bouche d'hommes
plus étranges encore. On lui disait qu'il administrait mal ses Etats, qu'ils étaient pour lui une
charge et un embarras, qu'il serait plus libre et
plus grand comme Pape, s'il abdiquait comme
prince.

On ne pouvait se méprendre sur les intentions
secrètes des ennemis de la papauté. C'était la
fable du Loup et de l'Agneau traduite en histoire.
Pie IX dut prendre le chemin de l'exil et se ré-
fugier sur le rocher de Gaëte pour jeter de là
son cri d'alarme et crier sus à la Révolution et
à la tyrannie. Le *Volksfreund* répéta ce cri avec
une noble indignation, mais en même temps il
apprit au peuple à ne pas craindre cette tourmente révolutionnaire. Remontant plus haut que
Napoléon I, plus haut que la République française, plus haut que Pie VI et Pie VII, martyrs
de la force brutale, il montra la Papauté toujours
aux prises avec les puissances de la terre. Le
monde s'agite, les royaumes s'écroulent, les

hommes disparaissent .... et la Papauté demeure. [1])

Mais les évènements avaient beau se succéder avec une effrayante rapidité, le *Volksfreund* restait fidèle à son programme et à sa devise.

Les menées de Mazzini en Italie, la fuite du pape à Gaëte, l'oppression des cantons catholiques suisses, l'expédition de Rome, la présidence de Louis-Napoléon, le coup d'Etat, la proclamation de l'empire, tous ces faits avaient un prodigieux retentissement dans le monde. M. Braun y voyait l'éclatante confirmation des doctrines qu'il défendait dans son journal. Aussi se mettait-il à l'œuvre avec plus d'ardeur pour achever sa démonstration et déchirer le voile, dont se couvraient encore certaines formules dangereuses.

L'esprit du *Volksfreund* est là tout entier: pas une question sociale qu'il n'ait élucidée; pas une vérité religieuse qu'il n'ait mise en lumière; pas un mirage qu'il n'ait dissipé. La révolution et ses sauvages passions, le socialisme et ses tristes aberrations, le communisme et ses criantes injustices, tour-à-tour ont comparu à son tribunal.

---

[1]) Voir Volksfreund Rome et le pape t. III, p. 305; le pape t. I, p. 113 et passim.

C'est une véritable encyclopédie sociale et religieuse, réfutant les erreurs, combattant les préjugés, rétablissant la vérité et la bonne doctrine: elle embrasse la vie du peuple tout entière: vie de famille à la campagne, vie de paroisse dans la commune, vie publique dans l'Etat et dans l'Eglise. Ce sont là en effet les trois grandes divisions, autour desquelles vient se grouper tout ce qui peut intéresser l'artisan et le père de famille, le citoyen et le chrétien, le Français et le catholique.

Il faudrait ici entrer dans les détails et faire revivre ces curieux dialogues entre chrétien et socialiste, ces tableaux pleins de charmes de la vie à la campagne, ces critiques fines et spirituelles de certains travers de notre époque; il faudrait relire les considérations sur le dimanche, sur les écoles, sur le travail, sur l'art, sur l'industrie; il faudrait s'arrêter aux articles de polémique sur la Bible, sur la papauté, sur l'inquisition, sur les mariages mixtes; assister à ce terrible conseil des ministres des enfers, si palpitant d'intérêt, si saisissant de vérité; il faudrait enfin savourer cette délicieuse fiction sur les progrès du siècle, où l'on voit un pieux ermite sortir de sa cellule pour aller dans le monde apprendre à connaître ce fameux progrès, dont le bruit est venu le troubler dans sa solitude. [1])

Mais comment choisir? Dans un écrin, chaque bijou a sa place marquée: l'écrin n'est beau qu'à la condition d'être complet. Il en est de même du *Volksfreund*; nous préférons renvoyer au beau livre, que M. Braun éditait à Einsiedeln, au moment de sa mort.

Commencé au lendemain de la révolution de Février, et à la veille des sanglantes journées de juin, le *Volksfreund* s'imprima d'abord deux fois par semaine. M. Braun avait trouvé dans deux de ses amis, M. Kæuffer, rédacteur actuel de l'Espérance de Nancy, M. Berger, autre publiciste, des collaborateurs aussi intelligents que dévoués. Mais bientôt il fut obligé de supporter seul le fardeau de la rédaction. Ses forces le trahirent, il fallut se résigner. Le 1 janvier 1850, le *Volksfreund* devenait hebdomadaire: M. Braun espérait en même temps étendre le cercle de ses lecteurs et se mettre à la portée des bourses les plus modestes. La loi sur la presse de 1852, l'impôt du timbre et du cautionnement amenèrent

---

[1]) Voir tous ces articles dans le „Hausbuch“ publié par M. l'abbé Braun à N. D. des Ermites.

une nouvelle modification: le *Volksfreund* ne parut plus que trois fois par mois. Il continua ainsi jusqu'en avril 1856, époque à laquelle M. Braun se retira d'un champ de bataille, qu'il avait vaillamment défendu durant huit fécondes et laborieuses années.

Ce ne fut pas sans émotion. Après avoir donné les motifs de sa retraite, il s'exprimait ainsi: »Adieu! amis de la Haute et Basse Alsace... Merci, merci mille fois pour la bienveillante sympathie, dont vous m'avez entouré au milieu de l'indifférence des uns et de l'hostilité des autres. C'est à vous, après Dieu, que je dois d'avoir durant huit longues années, combattu sans faiblir. Je le sais bien, mes adieux auront un douloureux retentissement dans plus d'un cœur! Moi aussi, je souffre de cette séparation. Le *Katholischer Volksfreund* a été mon œuvre; je l'ai vu grandir au milieu des dangers et des tourmentes! Eh bien! aujourd'hui qu'elle disparaisse plutôt que de forfaire à son nom et à son drapeau... Adieu!.. au revoir!«

4

CHAPITRE IV.

Poésie. — Bölchenglöckchen. [1])

M. l'abbé Braun avait quitté le séminaire avec la double ambition de devenir poëte et journaliste. »Ah la poésie! avait-il dit un jour à l'un de ses amis, je ne promets pas que je n'en ferai jamais. Pour le moment nous sommes à la prose, et nous devons avant tout songer au journal.«

Une de ces ambitions venait de se réaliser. Il avait fondé un journal populaire et créé la presse catholique. Il avait creusé le sillon: il pouvait se reposer. D'autres, le *Volksfreund*, le *Volksbote* allaient le remplacer et continuer une œuvre à laquelle il avait attaché son nom. Le journaliste retiré sous sa tente, le poëte monta sur l'Hélicon.

Il avait d'abord cherché son orientation en France et en Allemagne; mais ni ici ni là, son

---

[1]) Voir „das Bölchenglöckchen, Lieder und Gedichte von Carl Braun." — A. Sutter, Rixheim 1872.

cœur n'avait rencontré l'idéal de ses aspirations.
Lamartine, en qui s'étaient confondus le coloris
de Raphaël et l'harmonie de Mozart, avait fini
par ne plus comprendre Dieu qu'il avait si ma-
gnifiquement célébré dans ses Méditations. V. Hugo, l'enfant sublime, étonnait encore par la fierté
de son génie, mais ses hardiesses mêmes inspiraient déjà à ses admirateurs des craintes, qui,
hélas! ne devaient être que trop fondées. Alfred
de Musset mourait d'épuisement et de débauche:
il s'était jeté dans l'enivrement de la vie, il en
sortit, brisé, amoindri, en s'écriant tristement:

»J'ai perdu ma force et ma vie etc...«

Les voix chantantes de ce siècle étaient de-
venues des voix sensuelles! Turquety consacrait
bien son talent à la défense de la religion; mais
sa muse était trop chrétienne pour son temps;
ses plus belles poésies, son poëme »Amour et
Foi«, passaient inaperçus.

Seul le modeste boulanger de Nîmes, Jean
Reboul, avait été goûté d'un public habitué à
entendre la voix des sirènes; dans son »Génie
dans l'obscurité« Lamartine avait fait tomber sur
lui un rayon de sa gloire. Reboul croyant, religieux, catholique, était l'idéal de M. Braun.

En Allemagne Uhland n'avait plus rien à désirer : du Rhin à l'Oder, de l'Oder au Danube,
on avait chanté.[1]) Trois écoles s'étaient formées :
au nord et au centre, l'école de Souabe inspirée
par Uhland ; au sud l'école autrichienne sous la
direction de Nicolas Lenau et du comte A. Auersperg ; répandue partout, l'école orientaliste saluait
en Rückert son plus illustre représentant. Uhland
s'était séparé de Gœthe et de Schiller ; il avait
rejeté le naturalisme païen du premier et l'idéa-
lisme du second pour reprendre les traditions des
vieux poëtes chrétiens. C'était un progrès immense sur l'école romantique, qui avait chanté
les magnificences du christianisme sans en pénétrer l'esprit.

L'école autrichienne offrait le triste spectacle
d'une véritable anarchie littéraire : ses plus beaux
talents s'épuisaient en luttes stériles ; les luttes
et les combats ne se livraient qu'au profit du
libéralisme politique. Lenau mourut dans la dé-
mence après avoir usé son âme dans les étreintes
du scepticisme. A. Auersperg, mieux connu sous

---

[1]) Singe wem Gesang gegeben
   In dem deutschen Dichterwald,
   Das ist Freude, das ist Leben,
   Wenn's von allen Zweigen schallt!

le pseudonyme de »Anastasius Grün« osa pro-
phétiser. Volney, au siècle dernier avait écrit
»les Ruines«, Grün composa »les Décombres«
(Schutt), pour célébrer la disparition totale du
catholicisme et annoncer la paix universelle, la
fraternité des peuples, bases de la religion de
l'avenir!

L'école orientaliste, après avoir glissé avec
Rückert dans le panthéisme, ne se soutenait que
grâce à la puissante originalité de son chef. [1])

Où trouver son idéal? M. Braun le chercha
dans son propre cœur. Il se recueillit, il inter-
rogea son âme, et sous le souffle de ses propres
inspirations, il prit sa lyre et se mit à chanter.
Qu'était-ce donc que cette poésie pour lui?

On demandait un jour au Tasse: Qu'est-ce que
la poésie? Comme il était sur une montagne, il
répondit en indiquant la vallée et le ciel, la fleur
et le nuage, la forêt et le soleil, la nature et
Dieu: »la poésie, la voilà.« Ainsi la comprenait

---

[1]) On n'a pas voulu présenter ici un tableau complet de
la poésie en France et en Allemagne: c'eut été sortir des
limites de ce travail. Il fallait simplement indiquer les sources auxquelles M. l'abbé Braun avait d'abord demandé ses
inspirations.

M. Braun. Lui aussi conduisait ses amis sur la
montagne, le soir, quand le soleil couchant dorait
et empourprait de ses feux l'immense horizon;
puis, se laissant aller à l'inspiration de son âme,
il prenait sa harpe et chantait: »Déjà la lune se
joue à travers le feuillage, monte au-dessus des
arbres et se lance dans les cieux; le chant du
pâtre s'éteint dans le lointain, l'airain sacré fré-
mit et murmure: Ave Maria.« Il aimait:

S'éveiller le cœur pur au réveil de l'aurore
Pour bénir au matin le Dieu qui fait le jour
Voir la fleur du vallon sous la rosée éclore
   Comme pour fêter son retour. [1])

Il écoutait alors battre son cœur, et le soir,
il en redisait les échos à sa muse religieuse.
L'air vif des montagnes et des forêts, le rayon
de soleil avait frappé son front, l'inspiration en
jaillissait, et cette inspiration devenait sur les
cordes de sa lyre un magnifique cantique. Il re-
jetait avec horreur l'art factice, la règle, la méthode; il ne voulait ni de la poétique d'Aristote,
ni du Sublime de Longin; le beau, le sublime,
l'harmonie, le rhythme, la cadence, il trouvait
tout cela dans la roche moussue, d'où jaillit la

---

[1]) Lamartine, Médit. poét.

cascade, dans la forêt profonde et mystérieuse, où mugit le vent.

L'art ne fait que des vers, le cœur seul est poëte. [1]

Mais ce n'était pas assez pour lui: le vrai poëte s'affranchit des limites étroites du temps. Le passé et son histoire, l'avenir et son idéal, le présent et ses réalités, tout lui appartient. Il chante d'abord ce qu'il voit; il redit les sentiments de son cœur; il raconte les merveilles dont il est témoin. Puis, prenant son essor d'un vol plus libre et plus audacieux, il remonte vers le passé pour lui arracher ses plus belles et plus touchantes inventions. Cette nature, il la veut embellie de souvenirs; ils sont pour lui »comme l'âme d'un paysage et le plus bel ornement d'une contrée. Les raviver, les multiplier, c'est en quelque sorte agrandir le pays lui-même.«

M. Braun aimait, admirait, chantait ainsi l'Alsace et le Florival. L'historien, l'artiste, le poëte, le charmaient tour-à-tour, sans le satisfaire. »La partie la plus intéressante, la plus utile à connaître, il la trouvait chez le peuple, comme embaumée dans la poésie de ses légendes, de ses traditions, de ses superstitions même « [2]

---

[1] André Chénier.
[2] Légendes du Florival, p. VIII.

La légende en effet est la poésie du peuple,
et surtout du peuple chrétien. Si la mythologie
a étouffé l'âme sous les sens, l'esprit sous la
matière, la légende, au contraire, a fait régner
l'esprit sur la matière, la prière sur la nature,
l'éternité sur le temps. Le peuple aime la légende; il l'a créée et embellie, parce qu'elle l'ini-
tie aux mystères de l'autre monde, le met en
rapport avec les morts, et répond au besoin le
plus honorable de sa nature, au besoin de l'infini.

L'abbé Braun avait l'âme trop chrétienne et
trop religieuse pour ne pas comprendre ce langage du peuple. Ces récits légendaires, il les a
recueillis, comme autant de parfums du passé,
comme autant de fleurs, qu'il a cherché à raviver
avec leur incomparable beauté et leur délicieuse
fraîcheur. Il a compris cette grande pensée chrétienne, que tous les êtres visibles, toutes les opé-
rations matérielles, sont le symbole de quelque
opération spirituelle, de quelque être invisible.
Il a reconnu que sortir de cette idée religieuse
et chrétienne, c'est perdre le sens d'un grand
nombre d'expressions populaires, du plus gracieux
effet.

Mais cette idée, il l'a agrandie, étendue, chris-
tianisée; il savait que la poésie se cache sous le
parfum de la fleur, mais il n'oubliait pas que ce

,parfum habite un calice dessiné par Dieu lui-
même. Les beautés de la nature enthousias-
maient le poëte-roi et lui inspiraient le psaume
»Cœli enarrant gloriam Dei«; les oiseaux du ciel
accouraient chanter avec le séraphique François
d'Assise; les fleurs des jardins devenaient plus
belles et plus vives dans la langue poétique de
François de Sales; l'abbé Braun ne pouvait regarder un objet terrestre, sans en saisir aussitôt
le symbole qui s'y cachait. L'insecte du paradis,
la gracieuse immortelle, le petit ruisseau, l'oiseau
des bois, l'aubépine du chemin, le sentier de la
forêt, tout parlait à son âme et à son cœur!

Un naturaliste a dit qu'en prenant entre ses
mains une seule touffe de gazon, on y pouvait
admirer un millier de petites merveilles; M. Braun
avait le privilége d'y découvrir une foule de merveilleux symboles. Sous ce rapport il a été créateur. C'est son principal mérite d'avoir su donner à sa poésie une forme chrétienne qui la rend
plus belle et plus parfaite. D'autres avant lui
avaient chanté le même sujet; mais personne
mieux que lui n'a su exprimer d'une manière
plus heureuse l'analogie entre les deux mondes
spirituel et visible. Il a eu le »sens catholique«
le clavier qu'il touche est avant tout chrétien;
les notes qui en sortent sont toutes religieuses.

Il est de notre devoir de nous arrêter ici. Il faut tirer notre poëte de cette obscurité, où sa modestie s'est plu trop longtemps. Où chercher les raisons de l'indifférence, qui a accueilli ses plus charmantes productions! Pourquoi les tintements de sa »Clochette du Ballon« n'ont-ils pas eu plus de retentissement? M. Braun était prêtre et catholique, double motif pour un siècle qui se dit »ennemi du cléricalisme« et qui n'ose pas encore se déclarer franchement catholique, de se taire sur un talent, qui a puisé ses meilleures inspirations dans la foi et la piété chrétiennes.

Un de nos publicistes, qui d'ordinaire met dans ses critiques autant d'impartialité que de bon goût, a donné une série d'articles sur les célébrités de l'Alsace. Il a oublié complètement celui qui devait figurer au premier rang. Sur les observations d'un ami de nos gloires littéraires, il publia sur M. Braun un article, qui parut dans la »Strasburger Zeitung«. [1]) Le dirai-je? on se prend presque à regretter que le portrait de notre poëte ait été tracé par une main qui ne le connaissait pas assez.

---

[1]) Voir „Strasburger Zeitung", 29 Déc. 1875.

En France, dans plusieurs maisons d'éducation, le *Bölchenglöckchen* allait devenir un livre classique. On rendait hommage aux grandes qualités de ce petit ouvrage: On y admirait la délicatesse du sentiment, l'élévation de la pensée, l'harmonie de la langue, la cadence du rhythme; on hésitait cependant, et puis, on refusait de l'admettre. Pourquoi? ... parce qu'il est trop catholique. J'ai sous les yeux plusieurs documents qui renferment ce triste aveu. La France le frappait d'ostracisme parce qu'il était trop catholique!

Voici ce qu'il écrivit lui-même, à la date du 30 novembre 1875, à l'un de ses amis, poëte comme lui: »Maintenant que la Clochette est imprimée à l'usage des institutions surtout, il s'agit de savoir comment y pénétrer. Il ne s'agit, bien entendu, que des institutions libres et catholiques. Ceux qui m'ont le plus encouragé de leurs promesses, ne se pressent pas de donner suite à leurs encouragements. On me trouve trop catholique; et puis la grande difficulté, c'est de faire lire et comprendre la portée du livre. C'est, comme le Hausbuch, un livre de principes et de propagande, sous forme de poésie, et l'on n'y voit que des chansonnettes.«

Serait-il donc vrai qu'une muse chrétienne et catholique n'est admise que dans cette patrie

céleste, où tout est nombre et harmonie? Serait-il
donc vrai que pour plaire à ce siècle, il faille partager ses errements, ses faiblesses, ses vices? La
muse doit-elle être sceptique ou athée? La harpe
frémissante de désespoir de Byron, la lyre sceptique de Gœthe ne sauraient satisfaire un cœur,
qui a soif d'amour et de vérité! Ou bien, cher-
che-t-on dans la poésie ce qui flatte si bien dans
la peinture, le réalisme, le sensualisme? Alors
l'abbé Braun n'est qu'un poëte égaré d'un autre
âge.

Cependant on ne pourra lui refuser une admiration qu'on prodigue si facilement à d'autres!
On avait déjà prêté à la nature un langage sym-
bolique; on avait cherché dans le pur cristal du
ruisseau, dans le bourdonnement de l'insecte,
l'image de l'âme candide, du cœur reconnaissant.
M. Braun a salué Dieu jusque dans le brin d'herbe
du vallon. Il l'a fait avec un talent si sûr de
lui-même, qu'il n'a pas craint, dans la première
édition de son »Bölchenglöckchen«, de placer ses
œuvres à côté des meilleures poésies allemandes.
Le poëte du Florival demandait à être admis
parmi les favoris des muses: celles-ci n'avaient
pas à rougir de leur nouveau protégé.

Schiller, Gœthe, Wieland et d'autres, avaient
chanté avant lui la nature, les fleurs, le prin-

temps, etc. dans une langue qu'on veut bien appeler inimitable. M. Braun osa chanter après ces maîtres: il chanta à sa manière, en poëte chrétien, et parla un langage nouveau pour exprimer des sentiments que d'autres n'avaient pas connus. »Die Natur« [1]) de notre poëte est d'un lyrisme parfait: un prince de la poésie pourrait la signer, sans blesser sa gloire. »Lied auf dem Berge« a quelque chose de plus intime, de plus poétique, de plus naturel, que le »Berglied de Schiller«. Le »Johanniswürmchen« du chantre de Colmar est ravissant; je lui préfère cependant le »Gotteskäferchen« [2]) du chantre du Florival; l'un vous retient sur la terre; l'autre vous élève jusqu'à Dieu. »La croix d'honneur du grand-père« [3]) réveille les souvenirs les plus touchants et les plus intimes: on se rappelle involontairement la »Tabaksdose« de Pfeffel ou »les deux grenadiers« de Heine. »Mutterseelenallein«, »die kleine Quellenkönigin«, »das Fräulein von Freundstein« [4]) dénotent un rare talent de narration: l'intérêt, la

---

[1]) „Bölchenglöckchen" p. 69.
[2]) id. p. 3.
[3]) id. p. 142.
[4]) id. p. 157, 158, 163.

simplicité, l'élégance, la facilité y règnent naturellement, comme dans vingt autres poésies écrites
avec le même charme et le même entrain.

L'indignation saisit-elle le poëte, quand il voit:

La vertu succombant sous l'audace impunie
L'imposture en honneur, la vérité bannie
    L'errante liberté
Aux dieux vivants du monde offerte en sacrifice
Et la force partout fondant de l'injustice
    Le règne illimité!

Alors sa muse pousse vers le ciel son cri de dé-
livrance »Lève-toi, Seigneur«.[1]) Qu'on relise le
»signe de Caïn«! quelle énergie! quelle véhémence! quelle indignation! Qu'on relise «Qu'est-
ce que la franc-maçonnerie«, quelle saisissante
vérité! quelle indomptable fermeté! chaque mot
frappe; chaque vers est un éclair qui dissipe une
équivoque; chaque strophe est un coup de foudre
qui dissipe un mirage trompeur!

Horace l'avait dit: »rabies fecit iambum«. M.
Braun avait l'expression énergique, le mot juste.
Chez lui la forte expression suivait la forte pensée. Les grandes pensées viennent du cœur, a
remarqué Vauvenargues; l'esprit est l'œil de l'âme

---

[1]) „Bölchenglöckchen“ p. 242, 257, 261.

et non sa force, la force est dans le cœur, c'est-
à-dire, dans les passions. Ces passions dans l'âme
de M. Braun étaient l'amour du vrai, du juste,
la haine du mensonge et de l'hypocrisie. Comme
Jasmin, le poëte populaire du Midi, il disait:
»Arrière le faux, je veux le vrai.«

Ce sont là les qualités qui brillent dans la
poésie de M. Braun. On y rencontre toutes les
réminiscences, tous les sentiments, tous les souvenirs; un seul excepté: le souvenir du paganisme et de ses fausses divinités. Les païens
commençaient toujours leurs œuvres par un sacrifice aux dieux: M. Braun ne sacrifia jamais
qu'au vrai Dieu, l'unique source du beau et du
sublime. Dans les poésies des Grecs, on entend
retentir à chaque page les symphonies de l'O-
lympe; dans les poëmes de M. Braun, on sur-
prend dans chaque strophe comme un écho des
harmonies des anges. Il a conservé ce que les
anciens avaient de bon: le sens religieux.

Mais sa muse chrétienne a brisé avec l'escla-
vage littéraire de la renaissance; elle n'a pas
chanté dans un rhythme païen; elle n'a pas in-
voqué Sapho, ou toute autre muse moins chaste
et moins pure; elle n'a pas cherché ses inspirations dans cet Olympe, où chaque vice trouvait
un dieu pour l'excuser, chaque passion une divi-

nité pour la flatter. Lamartine a dit quelque part:
»J'ai tout changé en poésie: avant moi il fallait,
pour être poëte, avoir sous son oreiller le Dictionnaire de la Fable; j'ai été chercher dans l'âme
humaine les véritables cordes de la lyre.« M. Braun
a rejeté ce dictionnaire: ses inspirations, il les a
demandées aux légendes et aux souvenirs de sa
patrie, et à cette nature, qui reflète les magnificences de Dieu. Dans ce sens, il se sépare de
son siècle et de cette école, qui ne voyait et ne
regardait que la forme, qui ne savait pas remonter par un sens intérieur, par le sens chrétien,
du phénomène à la cause, de la beauté visible à
la beauté invisible, du monde à Dieu. Mais c'est
là précisément la véritable grandeur de sa poésie; on peut la méconnaître un moment; tôt ou
tard il faudra lui rendre justice: la nature ne
devient un livre radieux, qu'à la condition d'être
étudiée ou chantée avec un esprit éclairé par la
foi, avec un cœur embrasé de l'amour chrétien.

Il ne faudrait pas conclure de là que M. Braun
ait renié les œuvres du génie antique. La sin-
gularité est dangereuse en toutes choses. Son
esprit avait trop de bon sens, il aimait trop la
grande république des lettres pour se rendre
coupable d'une pareille exagération. Il n'avait
jamais oublié que Dante, le poëte catholique par

excellence, avait choisi Virgile pour le guider
dans sa descente aux enfers; que Racine savait
Sophocle tout entier par cœur; que Molière s'é-
tait approprié Aristophane. Il était juste appré-
ciateur des qualités des anciens; il estimait en
eux la finesse du goût, la pureté du style, l'élégance de la forme, l'harmonie de la langue. Il
reconnaissait hautement qu'il faut aller à cette
école pour y apprendre les délicatesses du langage, les lois et les règles de l'éloquence, le
rhythme et la cadence de la poésie. Mais si la
forme des classiques doit être pour nous un éternel objet d'admiration, en doit-il être de même
pour le fond? Faut-il s'obstiner à glorifier les
fictions du paganisme au profit du vice, de l'erreur, des passions? Les Grecs et les Romains
ne pouvaient être que païens; quant à nous, nous
ne devons être que chrétiens. Demandez la forme
aux païens, si vous le voulez; mais cherchez le
fond dans le christianisme. »J'aime mieux, disait-il, boire notre bon *Kitterlé* dans un verre
ordinaire, que d'accepter un breuvage empoisonné,
fut-ce le nectar des dieux, dans une coupe d'or
richement façonnée.«

Il repoussait donc l'art pour l'art; il ne se
contentait pas de l'art pour l'utile, il n'était même
pas satisfait de l'art pour le vrai. Il voulait l'art

5

pour la conversion, l'art pour le salut, l'art pour le ciel; il voulait avant tout soulever les âmes et les lancer au ciel!

Je ne sais si M. Braun a éprouvé ce qu'un auteur appelle »les primeurs délicieuses« de la publication d'un premier livre, ou d'une première poésie. Il devait plutôt se rappeler le terrible proverbe: »Nul n'est prophète en son pays« et n'ambitionner que la couronne d'or de l'éternité. La mort a déposé sa couronne d'immortelles sur sa tombe; déjà la voix de la justice semble se lever; on commence à rendre hommage à un talent si peu remarqué; un journal allemand est allé jusqu'à dire, que M. Braun était sans contredit la première tête poétique de notre époque. Que nous importe qu'il ait été le premier, ou l'un des plus illustres! Il a été notre poëte: cela nous suffit. Si nous avions un prix à lui décerner, ce serait »le prix de poëte religieux et populaire.«

Nous ferons mieux: il vivra dans nos cœurs et dans nos souvenirs. Il sera l'ami de notre foyer domestique, le guide de nos excursions et de nos pélérinages. Les enfants de nos familles catholiques, dans la plaine et sur la montagne, chanteront: »Wo ist das Ländchen das ich meine«: ils répéteront en chœur, devant l'autel de la Vierge,

les cantiques de Marie au Schäfferthal, à Thierenbach, à Lorette; et le soir, durant les veillées
d'hiver, ils écouteront le grand-père raconter les
belles légendes du Freundstein, les émouvantes
histoires des dames blanches de Linthal et du
grand chasseur de Murbach.

L'admiration et la reconnaissance puisent leur
force dans la mémoire du cœur: nous saurons
nous souvenir!

CHAPITRE V.

Mythologie. — Légendes du Florival.[1])

»Attiré par le parfum des légendes, j'ai voulu
cueillir ces fleurs, et passant ainsi du domaine
de l'histoire dans celui de la fable, je me suis
égaré dans la forêt enchantée de la mythologie.
Il m'est arrivé ici ce qui arrive souvent quand
on exploite une mine : en suivant un filon j'en ai
rencontré un autre qui m'a semblé plus riche, et
mon travail a changé de direction, ou pour mieux
dire, je suis allé au-delà du but que je m'étais
proposé.« [2])

M. Braun était remonté jusqu'aux Germains,
et »comme on voit quelquefois une église bâtie
sur les fondements d'un temple détruit«, il trouva
que la plus grande partie de notre histoire reposait sur des origines mythologiques. Les Ger-

---

[1]) Légendes du Florival ou la Mythologie allemande dans
une vallée d'Alsace par M. l'abbé Ch. Braun, Guebwiller —
J.-B. Jung, 1866.

[2]) Id. p. VI.

mains n'ont pas eu le temps de nous léguer des
monuments empreints du génie de leur nation;
ils n'ont pas eu une littérature, dans laquelle se
reflète leur vie avec ses mœurs et ses croyances.
Le peuple seul a conservé les traditions de l'histoire en les fixant dans ses légendes et ses superstitions. Mais comment sous le voile de l'allé-
gorie, sous la fiction de la légende, saisir la vérité
historique? Comment, pour notre pays, retrouver
les fondements et les débris de la religion de
nos ancêtres?

Les premiers apôtres de la Germanie avaient
renversé les autels sanglants et proscrit les honteux symboles: ils n'avaient pas détruit si facilement les idoles du cœur. Après avoir aboli
l'idolâtrie, chassé les fausses divinités, l'Eglise,
en Germanie, comme partout ailleurs, chercha à
changer l'esprit et le cœur, à reformer les mœurs
et les coutumes du peuple. Devenue maîtresse
des croyances païennes, elle ne songea pas à les
anéantir, mais à y porter la vérité religieuse qui
y manquait. Au septième siècle, Boniface IV
s'était fait donner par l'empereur Phocas le temple du Panthéon, non pour le renverser et passer
la charrue sur ses ruines, mais pour en ouvrir
solennellement les portes, pour y porter le culte

du vrai Dieu, l'image de la Vierge et les osse-
ments des martyrs.

Ainsi fit l'Eglise en Germanie. »Aux sanglantes immolations d'hommes et d'animaux, elle
substitua le sacrifice non-sanglant de l'Agneau
divin, à tous ces mauvais lieux qui avaient usurpé
le nom de temples ou de bois sacrés, elle fit
succéder des chapelles, des églises, des cénobies,
et à la place de ces héros imaginaires, de ces
vains mythes qui ne personnifiaient que les phé-
nomènes de la nature et les vices de l'humanité,
elle proposa à la vénération et à l'imitation de
l'homme de vrais héros, modèles de vertu et personnification de la sainteté. Ainsi purifiée, sanc-
tifiée par la religion, associée à la pompe de ses
fêtes et à la décoration de ses temples, la nature
parla aux hommes un autre langage, elle chanta
à Dieu un cantique nouveau, et le christianisme
eut aussi son culte de la nature, sa poésie exté-
rieure et son symbolysme.« [1])

Mais à côté du travail de l'Eglise qui affir-
mait le dogme catholique et fondait le culte chrétien, il y avait un autre travail qui se faisait
parmi le peuple. Si nulle part la résistance à
l'effort civilisateur du christianisme n'a été plus

---

[1]) Légendes du Florival, Introd. p. XI.

opiniâtre qu'en Allemagne, on comprend aisément
que ces vieux Germains ne pouvaient se résoudre
à oublier entièrement les symboles, les images,
les figures de leur ancien culte : de là une mythologie nouvelle, greffée, il est vrai, sur l'ancienne, mais plus pure, plus morale, chrétienne
en un mot. Les principales divinités, les héros
des temps fabuleux, les dieux secondaires, furent
transformés en génies, lutins, fantômes, etc. Les
dames blanches, les fées, les sorcières rempla-
cèrent les déesses.

Les anciens déjà avaient prêté à leurs mythes
trois sens qui en éclairaient les obscurités: un
sens physique, un sens historique, un sens moral.
Les connaissances profanes se rattachaient ainsi
à la doctrine sacrée: le point principal, celui auquel se rattachait tout le reste, c'était la religion.
Parmi ces mythes, ces fables, ces légendes, il y
en avait dont la popularité était universelle, commune à toutes les tribus germaniques; d'autres
se liaient spécialement à l'histoire d'une tribu,
d'une nation, d'une église, d'une communauté
religieuse; d'autres enfin, en assez grand nombre,
étaient localisés dans une vallée, dans une chaîne
de montagnes, dans un espace plus ou moins
restreint.

Telles sont les considérations qui ont guidé

M. Braun dans son beau travail sur les »Légendes du Florival«. Il a réuni ce qu'il a pu recueillir de légendes et de traditions; il les a classées par ordre, de manière à s'en servir à l'appui de son exposé du système mythologique allemand; en même temps il s'est imposé de raconter l'origine de ces traditions et d'expliquer la signification de ces mythes. »Mon principal but, dit-il, en essayant ces explications, était de montrer au peuple l'inanité de tous ces fantômes, tout en lui conservant ses légendes pour ce qu'elles peuvent offrir d'intéressant et d'utile«.

Comment décrire les origines, l'histoire ancienne, »de ce petit monde isolé du reste du monde«? A tout seigneur, son honneur. Les armoiries, le »Judenhut« de Guebwiller, par la plus ingénieuse des interprétations, nous fait remonter jusqu'à Odin, le grand dieu des Germains. Ce dieu, nature, âme, souffle, esprit du monde, prend possession de tous les sommets de la vallée. Les deux Ballons seuls conservent leur vieille dénomination celtique »Belen«; seuls ils protestent contre cette germanisation au nom du culte national.

Voici le Schimmelrain, la montagne du cheval blanc, le lieu consacré au culte d'Odin. Odin, d'abord dieu d'Asie, devient bientôt le dieu du

Nord, le dieu chasseur. Les collines, les côteaux, les vallons, signalent les exploits du dieu-chasseur. C'est le Lerchenfeld, le Storenloch, le Hasenschling, le Rehgraben, le Sauwasen, la Wolfgrube etc. Le dieu n'est pas invulnérable : blessé par un sanglier, son sang coule, mais, ô merveille! chaque goutte produit une fleur, tout le vallon en est embaumé. C'est le Florival avec son Pré d'or (Goldmatt), son Ruisseau d'or (Goldbach), sa fontaine de la Princesse, sa Tête de miel (Honigskopf), son Paradis et son Himmelreich.

Les missionnaires envahissent enfin le royaume d'Odin. Ici, sur le Schimmelrain se dresse la première chapelle, la chapelle de St. Michel. Vis-à-vis s'élève celle de St. Nicolas. Le dieu-chasseur, le roi du monde, le dieu-soleil est détrôné par l'archange à l'épée flamboyante, par le vainqueur du dragon infernal. La ville d'Odin avec son Judenhut devient la ville de St. Michel. Les pierres descendent du castel de la montagne et entrent dans la construction de l'église. St. Michel en est le protecteur. La garde de la ville lui est également confiée : il en défend l'entrée du haut de la citadelle »Ile St. Michel«; la porte de ce château porte son nom »Engelsporte«.

Peu-à-peu les religieux pénètrent dans la vallée et y établissent leurs cellules. La cellule (zell) donne naissance au couvent ; le couvent fonde la paroisse ; la paroisse enfante la cité. Bergholtz-Zell, Rimbach-Zell, Lautenbach-Zell n'ont pas d'autre origine. [1])

Avec Odin marche Thor ou Donar, le dieu du tonnerre, qui se fait traîner sur un char attelé de deux boucs. Compagnon d'Odin, il voit ses temples et les sommets consacrés à son culte près de ceux du dieu suprème. Dans notre vallée, le Troberg à côté du Heisenstein, le Geiskopf à côté du Judenhut. A propos de Thor, M. Braun se donne le plaisir de nous initier aux coutumes les plus curieuses et aux plus délicieuses légendes. Qui ne se souvient du feu de Carnaval ? des montjoies ? Qui a oublié la touchante histoire du héros Dietrich, la naïve aventure de Pierre le violoniste, la légende du diable au Hugstein ?

Quand il parle du chêne sacré, de ce chêne qui se dressait sur la place de Guebwiller, comment ne pas s'associer à ses regrets et ne pas redire avec lui : Il y a quelques années à peine, le chemin de Guebwiller au Bildstœcklé, par la forêt de l'Ax, était bordé de grands chênes, der-

---

[1]) Légendes du Florival, p. 14—71.

niers débris d'une génération depuis longtemps
disparue. C'étaient les Nestors de la forêt. Ces
beaux arbres se trouvaient là en exécution d'une
loi ou d'une coutume très ancienne, qui obligeait
tout nouveau-marié à planter ou à faire planter
un chêne au bord du chemin: coutume touchante
que nous voudrions voir pratiquée spontanément
non-seulement pour les mariages, mais à l'occasion de chaque naissance. Comme autrefois, on
aurait du plaisir à se montrer son arbre de père
en fils, et souvent le dimanche, à l'issue des
vêpres, la famille tout entière irait s'asseoir à
l'ombre du pommier paternel ou du poirier ma-
ternel dont l'ombrage, tout parfumé de souvenirs,
grandirait toujours avec elle.« [1])

Balder, le dieu-soleil par excellence, Balder,
le dieu des sources, nous conduit au Bollenberg,
le rendez-vous des sorcières de la contrée; puis
il nous introduit dans le Schæfferthal et nous
retrace l'origine de la légende de St. Gangolf.
St. Georges remplace Balder comme St. Pierre
avait remplacé Thor, comme St. Michel avait détrôné Odin. Ainsi disparaissent les anciennes
divinités, chassées par les héros de l'Eglise. Ainsi

---

[1]) Légendes du Florival, p. 83.

se formèrent plusieurs légendes de saints, toujours précieuses à recueillir, puisqu'elles sont comme l'initiation aux mystères de la mythologie, [1] ce point de départ de toute histoire ancienne.

Les déesses nous font assister au même symbolisme de la nature et nous donne la clef des plus ravissantes légendes. La reine Berthe, malheureusement devenue la Reine Oie; la fille blanche, à la voix si mélodieuse; la dame blanche qui descend du Kastelberg, de cette cave si mystérieuse, où se conserve encore dans de vieilles futaies un vin huit fois séculaire; la dame noire du Heisenstein, tout cela est raconté avec une érudition, qui n'enlève jamais rien à l'attrait, au charme du livre.

Puis les spectres et les trésors cachés, les sorcières et les réunions nocturnes donnent lieu à une intéressante étude sur un sujet si bizarre. Partout aussi sur les mythes antiques se greffent les légendes, les contes, inspirés par l'idée religieuse. La pensée chrétienne transforme, purifie, ennoblit la mythologie païenne et forme dans la suite des temps une véritable poétique de la nature avec sa flore et sa faune.

---

[1] Légendes du Florival, p. 71—120.

Enfin voici les petites divinités, les derniers rejetons de la race d'Odin. L'intérêt du livre ne se ralentit pas un moment. Ces génies qui annoncent la pluie ou le beau temps au son de leur musique. Ces lutins qui s'amusent au vallon du Hirtzengraben à simuler des coupes de bois. Ces nains, laids à faire peur, mais soigneux pour les bêtes. Ces elfs, tantôt gracieux zéphirs, tantôt petits cyclopes pour forger les foudres du dieu tonnant, répandent je ne sais quel charme sur cette nature, que nous étudions ainsi embellie par les souvenirs d'un passé si plein de fantaisies.

Mais un tel livre ne s'analyse pas: il faut le lire, le relire. Le poëte y trouve ses plus heureuses inspirations, l'historien un rayon de lumière sur nos origines, l'artiste une source intarissable de naïves conceptions. Chacun y admirera le modeste érudit, qui a su charmer, intéresser, instruire, sans jamais ennuyer.

Omne tulit punctum qui miscuit utile dulci. [1]

---

[1] Hor. Art. poét.

CHAPITRE VI.

Notre-Dame de Guebwiller. — Murbach. — Société Schœngauer. — Principes de M. Braun sur l'art.

Il nous reste, avant d'entrer dans le détail de sa vie, à présenter M. l'abbé Braun sous un aspect, qui peut-être n'a pas été remarqué. L'artiste et l'homme de goût rehaussaient en lui le poëte et l'historien. Si le poëte a chanté le vallon qu'il aimait, si l'historien a rappelé les pieux souvenirs de sa patrie, l'homme de goût, l'artiste a consacré les primeurs de son talent au monument le plus grandiose de sa ville natale.

»Il existe en Alsace un monument qui peut être regardé comme un chef-d'œuvre de l'architecture moderne, et auquel il ne manque plus que la dernière pierre, pour être, avec la merveilleuse basilique de Strasbourg, un des plus beaux édifices religieux de la France. C'est la nouvelle église paroissiale de Guebwiller.«

Tel est le début d'une magnifique notice que
M. l'abbé Braun rédigea au grand-séminaire. [1]

Dans une de ses tournées pastorales, l'évêque
de Strasbourg avait témoigné hautement combien
il était affligé de voir la belle église abbatiale de
Guebwiller tristement privée de sa couronne. La
parole du pontife trouva de l'écho. Sa douleur
fut comprise par tous les vrais amis de l'art chrétien, et bientôt on songea sérieusement aux moyens de mettre la dernière main à l'œuvre du
prince Casimir. Une commission s'organisa en
faisant appel au généreux concours de tous ses
concitoyens. L'évêque, pour prouver combien il
tenait à cœur de réaliser cette grande pensée, en
accepta la présidence. MM. Lecœur, Axinger,
Ritter, Grün, de Golbery, Bourcart, en devinrent
les membres les plus actifs et les plus intelligents.

M. Braun voulut aussi pousser le soupir de son
âme vers le ciel, et chanter un hymne de gloire à
l'Eternel. Il composa, pour la vendre au profit
de l'œuvre, une brochure intitulée: »Notice sur
l'Eglise chapitrale de Guebwiller.

A un âge, où d'autres soupçonnent à peine
les règles et les principes de l'esthétique, il avait

---

[1] Notice sur l'église chapitrale aujourd'hui paroissiale de
Guebwiller.

déjà des notions arrêtées sur le beau, et avait
étudié les différents styles de l'architecture religieuse. Il possédait de plus le merveilleux secret
de donner une forme artistique aux idées archi-
tectoniques qui s'étaient fixées dans son esprit.
Cette notice jette le plus vif éclat sur le talent
souple et facile de l'abbé Braun. Elle nous le
montre à son aurore brillant des couleurs les
plus douces et les plus variées.

Commencée en 1766 par le pieux Casimir de
Rathsamhausen, prince-abbé de Murbach, l'église
chapitrale de Gaebwiller avait été solennellement
consacrée le 7 Septembre 1785 par l'évèque de
Bâle, Joseph de Roggenbach. L'architecte Beuque,
de Besançon, avait dressé les plans et dirigé les
travaux jusqu'aux plates-bandes. La construction
fut continuée par l'architecte Ritter, qui intro-
duisit d'heureuses modifications dans l'œuvre de
son prédécesseur.

L'édifice, long de 68 mètres sur 40 de large,
repose sur un socle élevé et se compose extérieurement de deux étages. Le portail est orné de
quatre belles colonnes d'ordre dorique, dont les
fûts isolés projettent sur la muraille une ombre
qui les fait ressortir de la manière la plus agréable. Le même entablement dorique conduit sa
corniche et ses triglyphes autour des tours, qui

s'avancent hors de l'alignement du portail, dont elles prolongent la largeur. Le marteau révolutionnaire a détruit de jolies sculptures qui se trouvaient au-dessus de l'inscription latine qui se lit au haut de la porte du milieu.

Le second étage est d'ordonnance ionique. Un élégant fronton, des colonnes qui se groupent deux à deux comme les précédentes, une grande fenêtre carrée, garnie d'une travée de balustres et surmontée de festons, des statues colossales représentant les vertus cardinales et théologales, donnent à cet étage un aspect grandiose. Une horloge monumentale devait orner le fronton de la façade.

Puis, après avoir donné le plan des tours inachevées et décrit l'abside et les transepts de l'église, M. Braun s'écrie: »Faut-il qu'un si beau temple du Seigneur soit resté inachevé! Faut-il que tant de deuil s'attache à tant de magnificence! Cinquante ans et plus ont passé sur ce noble frontispice, et à le considérer là dans sa majestueuse nudité, on dirait voir le génie des maîtres, qui, planant encore sur son œuvre incomplète, gémit et demande à pouvoir enfin s'incorporer tout entier, se produire dans toute sa puissance et revêtir une forme sensible, en taillant dans le roc sa magnifique conception. Aux

6

approches de la tempête qui venait briser ses
espérances, suspendant son travail et sa végéta-
tion mystérieuse, il a dû se renfermer dans ce
corps imparfait, et attendre des jours meilleurs
et un soleil plus propice. Elle s'élève enfin cette
aurore nouvelle, et la froide nuit de l'indifférence
fuit devant son éclat. Partout les générations
renaissent à la lumière, et, à l'exemple d'un glorieux passé, la société moderne veut aussi se
peindre dans des chefs-d'œuvre immortels, dignes
de porter son image à la postérité. Or, n'est-ce
pas dans les monuments religieux de chaque
époque, que se transmet aux siècles à venir l'expression la plus fidèle de la civilisation contem-
poraine? N'est-ce pas sur le front de ses temples
que chaque peuple imprime le cachet immortel
de son caractère national, l'empreinte ineffaçable
de son génie.« [1])

Maintenant recueillons nous, et pénétrons dans
le temple. Quel air de grandeur et de sublime
majesté! La simplicité et la richesse, l'élégance
et la légèreté, la beauté et l'harmonie des proportions, répandent dans l'âme du spectateur je
ne sais quelle intime satisfaction. »On dirait un
palais enchanté sorti d'un seul jet du moule de

---

[1]) Notice p. 8.

la sainte et forte pensée qui l'a conçu.« La voûte, gracieusement arrondie et décorée d'archivoltes et de médaillons, semble se reposer doucement sur les 52 colonnes corinthiennes qui la supportent. Une majestueuse coupole, chargée de festons et de guirlandes, s'élance fièrement vers les cieux et fait descendre les dons de l'Esprit-Saint sur les quatre grands docteurs de l'Eglise.

Bientôt l'admiration fait place à une joie mêlée de respect. Nous voici devant le chœur. N'y cherchez point ce demi-jour mystérieux qui dispose si bien au recueillement et à la prière: la lumière y verse ses rayons à flots. On s'arrête émerveillé: la pensée la plus pure, l'art le plus chrétien y ont prodigué les chefs-d'œuvre. C'est d'abord le maître-autel composé de marbres de diverses couleurs. L'Ancien et le Nouveau Testament, la figure et la réalité s'y donnent la main. Sur l'arche d'alliance, qui repose sur le saint sépulcre, sont agenouillés deux chérubins, les bras croisés sur la poitrine, en adoration devant la croix entourée d'épis et d'un cep chargé de grappes. L'arbre de la croix est planté sur l'antique propitiatoire; l'arche d'alliance est fondée sur la tombe du Sauveur. Quelle noble et grande idée!

Derrière l'autel la Ste.-Vierge prend son vol

vers les cieux. Son port est sublime; une divine
allégresse remplit son âme; l'extase céleste rayonne
sur son front. Comme un souffle mystérieux, sa
robe descend à plis mouvants sur ses pieds. Les
Principautés, les Dominations, tous les chœurs
des Anges envoient leurs représentants à sa rencontre. Les cieux s'abaissent; les esprits bienheureux en descendent et se rangent en gracieuse
légion autour de la mère de Dieu. »C'est une de
ces créations de main de maître, qui ne perdent
jamais à être revues et étudiées, un de ces chefs-
d'œuvre inspirés par la religion divine qui a fait
un pacte saint avec tous les arts, et qui seule
peut élever le génie de l'homme à tant de hau-
teur, parce qu'elle lui prête les ailes de la foi.« [1]

Cette Assomption a été exécutée d'après les
dessins de M. Ritter par le ciseau de Fidèle
Sporrer, originaire de Weingarthen (Allemagne).
On s'y repose avec délices, et l'on ne s'en dé-
tache que pour admirer la boiserie du chœur. La
composition en est aussi riche qu'élégante. Tout
y est d'une exécution parfaite, d'une pureté, d'un
fini de détails et d'une correction qui ne laissent
rien à désirer. Le souvenir d'Hélène Sporrer

---

[1] Notice p. 13.

inspire à M. Braun les belles considérations sui-
vantes: »Voulez-vous savoir à présent quelle main
habile a découpé ces rinceaux, fouillé ces riants
bouquets, évidé ces calices et ces corolles? Voyez,
toutes les fleurs de nos printemps sont là, pour
rendre hommage à celui qui les a revêtues de
leur aimable parure. La main légère qui a ar-
rangé ces bouquets et entrelacé ces feuillages,
c'est celle d'une jeune et modeste artiste, pleine
de foi comme tous les grands artistes chrétiens;
car enfin, la foi n'est-elle pas l'âme des beaux-
arts, comme elle est le flambeau de la science?
Hélène Sporrer, digne rivale de l'illustre fille
d'Ervin, mais non pas sa rivale en gloire, mourut pauvre et oubliée comme son père, dans un
état voisin de l'indigence... Faut-il s'en étonner?
Il y avait tant de génie dans cette famille!

Au reste, la destinée de ces artistes a été celle
de la plupart des artistes chrétiens d'un autre
âge: encore quelques années, et leur souvenir,
déjà bien obscurci, ne laissera peut-être plus de
traces dans la mémoire ingrate des hommes: tel
est le cours des choses dans ce monde! Où sont-
ils aujourd'hui, les noms de tous les génies qui
ont enfanté des merveilles, de tous les grands
maîtres qui nous ont légué des chefs-d'œuvre?
Emportant leur souvenir dans la tombe, ces hom-

mes de patience et de dévouement n'ont voulu,
en quelque sorte, laisser sur la terre que les
merveilleuses élaborations de leur science, et con-
fondant leur gloire dans celle du bon Dieu et de
ses saints, ils semblent avoir pris, pour cacher
leur humilité, les mêmes précautions que d'autres
prennent pour éterniser leur orgueil. Eh! que
leur importait ce peu de fumée que nous appelons la gloire? Ne savaient-ils pas, ces anonymes
sublimes, à qui demander leur salaire? Ou était-ce
le monde qui pouvait payer leurs sueurs et leurs
larmes, lui qui les compte si mal? Trop heureux
du moins, ceux dont nous venons d'admirer le
modeste talent, de n'avoir recueilli de leurs travaux que de l'oubli, à une époque où le mérite
et la vertu étaient des crimes! D'ailleurs, et ils
le savaient bien, un nom se passe aisément ici-
bas du bronze et du marbre, s'il est inscrit là-
haut par la main des anges.« [1])

De ces stalles, le regard encore tout émerveillé se porte sur les belles orgues, œuvre du
célèbre Rabbini. Même richesse, même élégance,
même splendeur. A entendre, aux solennités des
grandes fêtes, les voix se marier aux soupirs qui

[1]) Notice, p. 14.

sortent graves et mélodieux des faisceaux de
tuyaux qui composent ces orgues, on croirait assister à un concert céleste donné par le chœur
des anges qui surmontent le buffet de cette magnifique construction.

»Telle est aujourd'hui la nouvelle église paroissiale de Guebwiller. Bâtie, dans chacune de
ses parties constitutives, selon toutes les règles
de l'art ancien, elle ne laisse pas de présenter,
dans son ordonnance générale, une église chrétienne; une église qui répond parfaitement aux
diverses exigences du culte catholique. Tout en
empruntant à l'antiquité païenne ses harmonieuses
proportions, l'architecte a su les combiner sur un
plan nouveau, plus en rapport avec les besoins
actuels; sans en altérer la pureté, il leur a imprimé cette hardiesse sublime que la religion ré-
clamait de lui, et, les animant d'un souffle de
foi chrétienne, les a fait aspirer vers le ciel. Autant qu'il pouvait l'être sans préjudice de la beauté
réelle, le symbolisme catholique a été respecté;
mais avec les vieilles traditions les sévères lois
du bon goût ont été respectées aussi, et dans son
essor magnifique, le génie de l'art n'a pas été
entravé par le symbole. La croix du Sauveur,
base et fondement de l'édifice; cette triple entrée
par laquelle le peuple y est reçu comme par une

profession de foi en la Très-Sainte Trinité; ce
parvis devant le temple et ce vestibule où s'arrête le catéchumène; ces quatre grands piliers
qui en soutiennent la voûte au centre, comme ces
quatre grands docteurs qui y sont figurés, et qui
furent les colonnes vivantes de l'Eglise de Jésus-
Christ, cette coupole enfin qui les surmonte, et
où l'Esprit-Saint plane comme dans une sphère
supérieure, tout cela se retrouve ici plein de vie
et de beauté.

Et maintenant voyez ces trois ordres super-
posés, dont le dernier s'élance libre et glorieux
au-dessus des autres. Cela semble forcé, contre
nature, si l'on veut, mais ce n'est pas à contre-
sens. Et en effet, quelle imposante image de
l'Eglise universelle, dans son triple état de combat, de souffrance et de triomphe. On sait comment les Anciens employaient leurs différents
ordres d'architecture: selon qu'un temple en construction devait être consacré à un dieu de la terre,
ou à un dieu de l'Olympe ou des enfers, on faisait choix d'un ordre approprié au caractère de
la divinité qu'on voulait honorer. N'était-ce pas
une pensée vraiment catholique, de convoquer
tous les ordres à la fois au temple du Créateur
de l'univers, afin d'en placer en quelque sorte

les fondements dans les enfers et le pinacle dans
les cieux?

Sans doute ce n'est plus ici la naïveté altière
de cette belle ligne ogivale qui se dresse avec
tant de fierté et s'incline devant Dieu sans cesser
de monter à lui, mais c'est la majestueuse gra-
vité du cintre romain, qui s'arrondit comme l'arc-
en-ciel sous la voûte du firmament. Et qu'importe au fond, pour l'homme de foi et d'amour,
qu'il adore et médite sous l'ogive ou sous le plein
cintre, si la voûte ne pèse pas sur son âme; s'il
en voit les arcades se dilater avec sa pensée au
haut des airs? Néanmoins ce n'est pas à dire,
pour cela, que cette architecture classique doive
obtenir la préférence sur celle du moyen-âge:
elle a trop bien fleuri, cette dernière, dans notre
sauvage climat, elle a jeté de trop profondes racines dans le sol de notre pays et de notre religion.

Mais aussi ne faut-il pas vouer à celle-ci un
culte exclusif; les dépouilles de l'Egypte peuvent
bien décorer le temple du Seigneur, quand elles
n'y forment que des trophées à la gloire de son
nom. Chaque style a ses beautés à lui, ses grâces merveilleuses et son haut idéal, pourvu qu'il
se conserve vierge de tout mélange étranger; et
s'il est vrai que la fleur gothique doive encore

s'épanouir une fois sur les bords du vieux Rhin, au soleil du dix-neuvième siècle; s'il est réellement dans la destinée de l'art chrétien, de subir, dans un avenir peu éloigné, une régénération que nous appelons de toute l'ardeur de nos vœux, ce ne doit être qu'une raison de plus de hâter l'achèvement d'un monument, dont l'Alsace peut s'enorgueillir à juste titre. Cet achèvement ne fût-il qu'un adieu sublime fait à un règne passé, certes, les générations futures ne le désavoueront pas. Chose en effet bien digne de remarque dans cet édifice, c'est que, sans ramper servilement sur les traces de l'antique paganisme, on a su, au milieu d'un siècle de mauvais goût, lui conserver un caractère de simplicité pleine de noblesse et d'élégance, et éviter avec bonheur les airs maniérés de cette *Renaissance* païenne qui a tant nui au plus populaire des arts.« [1])

Puis hâtant de ses vœux l'achèvement de ce superbe édifice d'après les règles de l'art chrétien il disait: »Ce sera comme un chêne majestueux où nulle plante parasite ne vient puiser sa sève; comme une merveilleuse épopée qui ne parle, dans tous ses chants, qu'une langue et un dialecte.«

---

[1]) Notice, p. 13.

L'œuvre est grande sans doute, mais ce n'est pas pour un homme qu'on prépare la demeure, c'est pour Dieu. Après avoir rappelé ces paroles qui avaient été gravées en lettres d'or sur le frontispice du temple, il terminait ainsi: »Autrefois, quand une cité voulait préparer au Seigneur une habitation digne de le recevoir parmi les enfants des hommes, et attacher un nouveau rayon de gloire au nom sacré de la patrie, chacun des habitants apportait à Dieu une offrande proportionnée à ses moyens. L'un donnait de son talent, l'autre de sa fortune; le pauvre trouvait du soulagement à ses besoins et une nourriture à sa piété, en vouant à Dieu la vigueur de son bras, car les doux soins de la charité allaient au-devant de lui, et essuyaient la sueur de son front. Puis on mettait la main à l'œuvre. Le génie s'unissait à la foi pour enfanter des prodiges. Tout ce que la nature offre de beautés et de merveilles, tout ce que la religion du Christ renferme de gracieux et de sublime, de consolant et de terrible, semblait revivre sous mille formes diverses autour de la mystérieuse enceinte du temple. La pierre se façonnait comme de la cire à tous les caprices d'une imagination féconde; les couleurs s'animaient sous le pinceau, et la naïve légende étincelait au soleil, parmi les trèfles et

les roses, sous les magiques verrières. Chaque
soupir avait son symbole, chaque vertu sa fleur,
chaque prière son image. On eût dit que les
arbres sortaient de la forêt pour venir, comme
par enchantement, se lier en faisceaux et se ranger en colonnades. Mille rameaux s'élançaient
de leurs troncs vigoureux, et se croisant en tous
sens, semblaient ne se courber qu'à regret, quand
à leur suite, la grande voix de l'orgue s'élançait
sous la voûte. Bientôt les anges, les saints, les
patriarches et les prophètes venaient peupler les
portiques, s'abriter sous les clochetons élégants
et embaumer le sanctuaire du souvenir de leurs
vertus. Cependant l'œuvre sainte grandissait; à
mesure que les pierres venaient se ranger sous
la main de l'ouvrier, au chant des sacrés cantiques, l'édifice montait, montait toujours, et enfin
la foi commune se traduisait en une flèche pom-
peuse, élancée vers le ciel comme une aspiration
puissante, et jetant du haut des airs un audacieux
défi à tous les siècles.

Chrétiens! voilà ce que faisaient vos pères
aux beaux jours de la foi; les monuments de leur
piété sont encore debout au milieu de vous. Ce
qu'on demande de vous aujourd'hui, est bien
moins que tout cela, mais la tâche est encore
digne de vous. Chrétiens! Dieu vous regarde, la

patrie a les yeux sur vous, la postérité attend
son héritage; voulez-vous rester au-dessous de
vous-mêmes et mourir tout entiers? — Non assurément.« [1])

On ne pouvait plaider une noble cause avec
plus d'élévation et de grandeur. Celui qui avait
guidé les premiers pas de M. l'abbé Braun, et
qui avait été l'inspirateur de ce travail, s'empressa
de féliciter le jeune auteur. »Mercredi dernier, lui
écrivait-il, j'ai vu Monseigneur. Le prélat m'a
témoigné la satisfaction que lui avait causée la
lecture de votre notice. Vous voyez, mon enfant,
je ne suis pas le seul à rendre justice à vos heureuses dispositions. Vous réussirez sûrement si
vous concentrez toutes vos facultés sur une bran-
che au lieu d'éparpiller vos forces. Vos études
obligées d'abord, et ce de cœur et d'âme: ensuite
vouez-vous à l'histoire et n'oubliez pas que c'est
l'un des plus importants domaines dans le vaste
cadre du savoir humain, mais malheureusement
trop négligé jusqu'ici. Attachez-vous surtout à
l'étude des sources, après avoir gravé dans votre
mémoire un aperçu succinct de l'histoire générale
du monde et de l'Eglise en particulier. Je vous

---

[1]) Notice, p. 26.

donne ce conseil parce que je vous aime, et que j'aime mon pays. Tâchez de vous rendre le plus utile que vous pourrez, et plus tard l'Alsace me saura gré des conseils que je vous ai donnés.«[1])

L'abbé Axinger, qui dictait ces conseils venait de lire un autre travail de M. Braun sur l'abbaye de Murbach et une histoire de Guebwiller. Ici c'étaient les accents du citoyen jaloux des gloires de sa patrie; là, les plaintes de l'artiste désireux de conserver les nobles débris du passé.

M. Braun fit entendre plus tard ces plaintes dans le Volksfreund dans trois articles qui ont été grandement remarqués.[2]) Il appartenait à cette école qui se donnait pour mission de réhabiliter les anciennes métropoles de la vertu et de la science chrétienne, et qui laissait à d'autres le soin de s'extasier devant un fragment de voie romaine, ou devant quelques pierres d'une ruine étrusque.

Murbach qui avait marché à côté de Cluny et de Cîteaux pour l'antiquité et l'illustration, offrait à la fois un aliment à la piété ardente du pélérin

---

[1]) Lettre de M. l'abbé Axinger, 4 février 1843.
[2]) Voir Volksfreund, t. III, p. 281 et suiv.

et à la curiosité de l'érudit. Rien ne lui avait
manqué : ni l'auréole de la sainteté, ni la palme
du martyre, ni le lustre de la science. Ses religieux avaient gardé dans leur bibliothèque les
œuvres de Velleïus Paterculus et avaient ainsi
sauvé l'historien romain de l'oubli et de la mort.
Dom Ruinart, dom Martène, Durand, Gerbert, le
savant abbé de St. Blaise, avaient pieusement
fouillé les volumes de leurs frères du moyen-âge
pour nous redire les grandeurs de leur ordre.
Moins heureux que ses devanciers, dom Pitra
se voyait condamné à courir le monde pour rechercher les manuscrits de Murbach partout où
la tempête révolutionnaire les avait jetés.

L'abbaye et son cloître, l'église et ses grandes
nefs étaient tombés ; le marteau démolisseur des
hommes avait frappé sans pitié. Les belles peintures murales, les antiques et célèbres tapisseries
avaient disparu. Seul le chœur rappelait encore
la psalmodie des religieux, et les deux tours encore debout formaient toujours une garde d'honneur autour des saints tabernacles. Mais encore
un peu de temps et peut-être le visiteur pourra
s'écrier :

Tota teguntur

Pergama tumetis : etiam periere ruinæ.

N'était-ce pas assez de ruines? Ce silence de mort succédant au chant des moines; ce cimetière construit sur l'emplacement même de l'église; cette façade démolie, ces piliers renversés, ces arceaux brisés, n'était-ce pas assez? Trop assurément pour condamner l'incurie et l'indifférence d'hommes incapables de comprendre et de respecter les monuments de la foi chrétienne. M. Braun, au nom des générations qui dorment sous ces ruines, demanda la restauration d'une œuvre à la conservation de laquelle l'art, la religion, la patrie, étaient également intéressés.

En 1856 il eut le bonheur de voir arriver celui qui devait acquitter la noble dette léguée à notre piété par les siècles passés. M. l'abbé Mellecker avait accepté cette tâche difficile et pénible. En lui confiant cette mission on lui avait dit: Vous ramasserez les pierres dispersées du temple, vous réunirez les débris du sanctuaire, ce sera l'œuvre de votre vie. M. Mellecker avait pris ces mots au pied de la lettre. Il devint le restaurateur de la maison de Dieu à Murbach, mais ce fut au prix de sa vie. Il s'y consacra tout entier et mourut à la peine ne laissant pas assez pour suffire aux frais de ses funérailles. Il s'était oublié lui-même pour ne songer qu'à relever les murs de Sion. Il mourut pauvre; mais les dalles des parvis sacrés n'étaient plus ensevelies sous les décombres; le chœur et l'église s'étaient réunis pour perpétuer les souvenirs de vertu et de sainteté de l'antique abbaye; un magnifique Calvaire conduisait à N.-D. de Lorette qui, du haut de sa colline, invitait les fidèles à venir y chanter le cantique de la reconnaissance.

M. l'abbé Braun, qui avait parlé avec tant d'âme en faveur de l'achèvement de N.-D. de Guebwiller, avait aussi été le conseiller et le soutien de M. Mellecker. Il se rendait souvent dans la vallée de St.-Firmin pour encourager le modeste et infatigable travailleur, et il ne revenait jamais sans lui avoir laissé son offrande pour cette œuvre de haute poésie chrétienne.

Les études qu'il avait faites au séminaire sur l'art chrétien, avaient jeté depuis des racines plus profondes et s'étaient portées sur un champ plus étendu. De plus il cherchait à vulgariser ses connaissances et à initier le peuple aux beautés de l'architecture religieuse et du symbolisme chrétien. Il avait expliqué, à la lumière de l'Evangile le vrai sens du travail, de l'art, de la science; il avait décrit la touchante signification de nos églises, [1]) et veillait avec un soin scrupu-

---

[1]) V. Hausbuch, les articles sur l'église, sur les cloches etc.

7

leux à la conservation des bonnes traditions ar-
tistiques des siècles de foi. En 1849 il eut occasion d'exposer sa manière de voir à ce sujet et
de dire comment il entendait instruire le peuple
dans les principes de l'art.

Il s'était constitué, à Colmar, une société sous
le nom de Société Schœngauer. Elle avait pour
but de former un cabinet d'estampes au chef-lieu
du département du Haut-Rhin. Elle se proposait
de répandre par ses collections la connaissance
des chefs-d'œuvre de l'art antique et moderne,
d'en faciliter l'étude, et d'offrir à l'enseignement
classique comme à l'enseignement professionnel
un ensemble de secours et de richesses. Concur-
remment avec la collection d'estampes elle for-
mait une bibliothèque composée de grands ou-
vrages de luxe, à planches, concernant l'étude
historique des arts du dessin et l'histoire naturelle.

On ne pouvait qu'applaudir à cette pensée
artistique et désirer le succès d'une si noble entreprise. Elle répondait à un besoin réel et était
appelée à rendre les plus grands services. L'art,
en effet, ne saurait progresser que par l'étude
simultanée des œuvres de toutes les écoles et de
toutes les époques; et, pour que le goût du public puisse se former et s'affermir, il faut qu'il

puisse contempler à la fois, comme dans un seul tableau, les œuvres des vieux maîtres et celles des modernes, l'art primitif et l'art des temps nouveaux.

M. l'abbé Braun accueillit cette fondation avec un louable empressement et lui consacra un article dans son journal. Cependant il crut devoir faire ses réserves. La Société Schœngauer se propose, écrivait-il, de développer dans le peuple le goût et l'amour des arts. Elle aura donc soin de n'admettre dans ses collections, du moins dans ses collections publiques, aucune estampe qui puisse blesser le sens moral d'une âme chrétienne. Qu'y a-t-il de commun entre l'histoire et les souvenirs du peuple et la poésie immorale de l'antique mythologie? Au moyen-âge l'art n'a été populaire que parce qu'il a été chrétien. Ce n'est que depuis la Renaissance, qui a chassé les pieuses légendes pour les remplacer par les divinités de l'Olympe, que le peuple a déserté ce temple des arts qu'il ne comprend plus. N'attendez pas de lui que, dans les chefs-d'œuvre d'un grand nombre de maîtres, il dégage de la forme la pensée, le sens qui doit s'y cacher. Cette pensée, si pensée il y a, lui échappera toujours. Il n'y verra que la forme toute nue, toute sensuelle, puisque la beauté morale qui, dans les œuvres de l'art

chrétien, occupe le premier rang, n'y vient qu'à
l'arrière-plan. Or, depuis que la littérature et l'art
des anciens ont été remis en honneur, peut-on
dire que les classes élevées qui les cultivent ont
gagné en moralité. Saurait-on attendre davantage
du peuple et ne sera-t-il pas toujours vrai de dire:
tel tableau, tel maître?

On serait peut-être incliné à croire après ces
considérations que M. Braun proscrivait impi-
toyablement l'art antique et la Renaissance, et à
se persuader qu'il ne cherchait son idéal que dans
le moyen-âge. Il n'en est rien cependant. Il ne
condamnait a priori aucune école ni aucun style;
il savait que chaque style, chaque école a ses
beautés à lui, ses grâces et son idéal. Mais cet
idéal, il le plaçait toujours en Dieu et ne consen-
tait à donner son admiration à une œuvre qu'en
tant qu'elle s'efforçait de se rapprocher de ce
type divin. Le beau sans doute, bien que soumis aux règles du goût, peut revêtir des formes
diverses, mais ce sera toujours pour lui une loi
imprescriptible de tendre vers ce souverain idéal,
qui comprend toutes les lois et toutes les règles.
Symétrie dans les parties, unité dans le tout,
harmonie des formes et des couleurs, tout cela
se trouve dans les œuvres du Créateur. L'art
doit tendre avant tout vers Dieu et vers l'imita-

tion de ses œuvres, et y tendre par la perfection
de la forme comme par la pureté de la pensée.

C'est à la lumière de ces principes que M.
l'abbé Braun jugeait les différentes écoles et les
différentes époques de l'art. Tout n'est pas à
condamner dans l'art païen, car la représentation
des passions humaines n'est pas nécessairement
mauvaise. De plus là se rencontre la perfection
de la forme portée à son suprème degré. En est-il
de même du sentiment et de la pensée? Non,
Ingres, le grand peintre de la France, avait bien
dit un jour: »Notre Ecole est un vrai temple
d'Apollon consacré aux arts seuls de la Grèce et
de Rome.« Mais ses toiles inspirées par la religion
avaient en quelque sorte démenti ces paroles, et
plus tard, licenciant son atelier en partant pour
Rome il disait à ses élèves: »On m'a reproché
d'avoir fait de mon atelier une église. Eh bien!
oui; qu'il soit une église, un sanctuaire consacré
au culte du beau et du bien, et que tous ceux
qui y sont entrés soient partout et toujours les
propagateurs de la vérité.«

Les œuvres lascives et indécentes du sensualisme païen font monter la rougeur au front du
chrétien. Celui qui a reçu de Dieu la noble mission d'instruire et d'édifier par le contour des
formes et le charme des couleurs ne peut s'élever

véritablement qu'en purifiant son cœur par l'amour de Dieu et en vivifiant son génie par la méditation et la prière. Tels ont été les artistes du XIIIᵉ et du XIVᵉ siècle. Comme le dit M. Braun, l'influence de la religion se fait sentir aussi bien dans les formes que dans les mœurs : le sens du beau, le sens pur et délicat, sort de l'âme du catholicisme. Ce fut là le triomphe du moyen-âge. L'antiquité n'a guère exprimé que des sensations : elle a su donner à ses statues les plus admirables proportions, à ses groupes les poses les plus gracieuses, à ses marbres le poli le plus brillant. Mais le sentiment, la pensée religieuse, l'âme, tout cela lui faisait défaut. Le moyen-âge, au contraire, inférieur pour la beauté du dessin et le fini des détails, est supérieur par la conception, par le sentiment et la pensée. Or l'alliance de l'une et de l'autre, l'alliance de la forme et de la pensée constitue la perfection de l'art.

Ce sentiment fut méconnu par la Renaissance qui retourna d'une manière brutale à l'antiquité païenne. Les artistes de cette époque vivaient, marchaient, respiraient au sein du paganisme, et ceux même qui étaient les plus chrétiens et les plus pieux durent forcément subir l'influence des idées qui dominaient alors. C'était sortir de l'at-

mosphère chrétienne dans laquelle l'art avait vécu
durant plusieurs siècles ; c'était reculer le moment
où la forme et la pensée se personnifiant dans
un même génie, allaient réaliser l'idéal de l'art
en ce monde. Les œuvres de l'antiquité et du
paganisme renaissaient, mais sans être animées
du souffle de foi chrétienne, qui leur eût donné
ce cachet de sublime grandeur qui leur manque.
Or là était le mal. M. Braun l'accentua avec
force et énergie dans sa notice sur l'église chapitrale de Guebwiller. Il eut voulu que la peinture et l'architecture, tout en étudiant les règles
et les lois de la forme antique, eussent demandé
leurs inspirations à la foi chrétienne. De cette
manière tout eut pleinement répondu aux exigences d'un culte dans lequel le vrai, le beau,
le bien, se confondent dans une admirable unité.
Alors les monuments religieux, emportant vers
le ciel nos désirs et nos prières, eussent revêtu
tout le charme d'une riche et vivante poésie.

Ainsi M. Braun ne répudiait pas l'art antique
dont il n'a jamais récusé la perfection ; mais il
ne se contentait pas des froids modèles de Rome
et d'Athènes ; il les voulait ennoblis, purifiés,
christianisés. Il ne repoussait pas absolument les
maîtres de la Renaissance ; mais il les blâmait
d'avoir méconnu leur mission et d'être revenus

en plein christianisme aux siècles de la mythologie. Il avait, il est vrai, une prédilection pour
les artistes du moyen-âge ; mais il reconnaissait
que le chrétien peut méditer et prier sous le plein
cintre comme sous l'ogive, et qu'il ne fallait pas
leur vouer un culte exclusif. Ne pas ramper servilement sur les traces du paganisme, embrasser
dans son admiration toute l'antiquité, l'antiquité
païenne et l'antiquité chrétienne, demander à l'une
la forme, à l'autre la pensée, voilà quel était à
ses yeux le devoir de l'artiste et des grands
maîtres.

CHAPITRE VII.

Amour de M. l'abbé Braun pour la jeunesse. — Ecoles des frères. — Origine. — Développement. Suppression. — Rapports de M. Braun avec les élèves et les maîtres.

Le 4 Mars 1852, une pétition, revêtue de près de soixante signatures, était présentée au conseil municipal de Guebwiller. La population avait augmenté dans d'énormes proportions, le nombre des enfants avait triplé, le personnel des instituteurs était resté le même. L'enseignement laissait beaucoup à désirer; l'instruction était en souffrance aux grands regrets des familles catholiques. La ville ne pouvait songer ni à construire de nouvelles écoles, ni à appeler plus d'instituteurs; ses faibles ressources ne le lui permettaient pas.

La pétition rappelant qu'autrefois les écoles primaires de Guebwiller avaient été dirigées par des Frères, qui avaient laissé les meilleurs sou-

venirs, invitait le conseil municipal à suivre l'exemple de Soultz, Kaysersberg, Ribeauvillé, Ste.-
Marie-aux-mines, Colmar, qui avaient confié leurs
écoles communales à une congrégation enseignante.
L'intérêt même matériel de la localité plaidait en
faveur de cette mesure. Huit frères, remplaçant
les sept instituteurs reconnus insuffisants, coûte-
raient 3000 francs de moins. L'intérêt des familles et des enfants ne le demandait pas moins.
Avec les mêmes dépenses on pourrait augmenter
le personnel des maîtres, donner ainsi à l'instruction une plus vaste extension, et préparer les enfants à des études supérieures.

M. l'abbé Braun, dans un supplément du Volksfreund, appuya chaudement cette pétition. Il y
développait les raisons qui y étaient exposées,
combattait les objections et les difficultés, que
l'on commençait déjà à soulever. Avait-il un motif particulier pour prendre part à un débat, qui
devait naturellement diviser les esprits? Non; il
savait fort bien que sa franchise lui susciterait
beaucoup d'ennemis. Mais persuadé que les intérêts les plus sacrés de la famille étaient engagés, il ne pouvait reculer devant la crainte de
voir ses intentions suspectées ou mal interprêtées.
Il aimait trop l'enfance, il avait une trop haute
estime de l'éducation pour sacrifier à de mesqui-

nes considérations l'innocence et la foi de la jeunesse des écoles.

De plus, comme le grand apôtre, il avait le droit de dire : »*Civis romanus sum*, je suis citoyen romain !« J'ai le droit d'élever la voix, de faire entendre ma parole. Il agissait ainsi, non pas dans un vain désir de vengeance, ou dans l'égoïste jouissance d'une satisfaction personnelle, mais avec la douce et ferme certitude du devoir accompli.

La pétition fut écartée grâce à des influences que nous n'avons pas à signaler ici. M. Braun ne crut pas devoir désespérer du bien qu'il avait voulu faire, ni s'estimer vaincu. On avait d'abord regardé avec inquiétude ; quelques-uns s'étaient montrés injustes, perfides, violents ; il résolut de répondre aux uns et aux autres en créant dans sa ville natale des écoles libres.

Le projet pouvait paraître hardi et téméraire. On pouvait l'accuser de former deux camps ennemis, de diviser la population, tandis qu'il ne voulait que rivaliser dans le double dévouement à la foi chrétienne et à la liberté. Mais il connaissait trop bien les contradictions pour s'émouvoir de celles qu'il allait soulever ; il savait par expérience que ce serait se condamner à jamais à ne rien tenter que de prêter l'oreille à l'opposition. Le temps d'agir était du reste arrivé: sa conscience lui défendait de reculer.

La découverte des puissants moteurs, le perfectionnement des machines, avaient amené une révolution dans l'industrie et appelé au travail avec le père de famille la mère et l'enfant. C'était une transformation sociale complète. La famille était menacée dans son existence, puisque l'esprit, l'âme qui la constitue devait disparaître lentement dans l'atmosphère de la manufacture. Or, l'esprit religieux seul était capable de remplacer l'esprit de la famille. Il fallait donc donner à la religion une part plus large dans l'éducation, la mettre au centre de ce vaste mouvement, comme on met un parfum dans les corps pour les préserver de la corruption. L'aumône de l'intelligence, l'aumône de l'esprit religieux devait avoir la place d'honneur. M. l'abbé Braun le comprit ainsi, et, en vrai ami, en vrai bienfaiteur du peuple, il désira avant tout lui payer le tribut d'un enseignement franchement chrétien.

Les commencements furent modestes et pénibles. Il jeta son grain de senevé, abandonnant à Dieu le soin de lui donner la croissance. Tout le monde sait qu'il en est sorti un arbre vigoureux. Le 5 novembre 1852, trois frères de la Société de Marie se présentèrent à M. l'abbé Braun:

c'étaient MM. Pignolet, Meyer, Hopfner. Le lendemain on ouvrit les classes, après avoir placé
l'œuvre naissante sous la protection de Celui qui
avait dit: »Laissez venir à moi les petits«. M.
Braun s'inspira de ces paroles pour souhaiter la
bien-venue aux 31 élèves qui avaient été amenés.
C'était donc une toute petite famille; mais si elle
était petite à son origine, elle était grande par
la charité et les espérances, qui remplissaient les
cœurs, riche et féconde par les trésors d'abnégation et de dévouement déposés au fond des âmes.

On se mit au travail avec amour avec la ferme
résolution de devenir les ouvriers de Dieu. Ceux
qui ont assisté à ce début ont conservé, dans
toute leur fraîcheur, les souvenirs touchants des
premiers jours. Ils n'ont pas oublié la douce
sérénité, la pieuse confiance de celui qui était
l'âme de la communauté.

La belle propriété de la rue de l'église avait
été achetée dès le commencement; mais les bâ-
timents, occupés par plus de vingt familles, ne
furent évacués que successivement. Le second
étage seul était disponible. Quatre salles y étaient
libres: trois furent transformées en salles de
classes, et la quatrième dut servir à la fois de
réfectoire, de parloir, de salle d'étude. On était
naturellement à l'étroit: en moins d'une année

le nombre des élèves avait triplé. Les familles catholiques avaient répondu à l'appel de M. l'abbé Braun avec un entrain qui ne permettait plus de douter du succès final. Les enfants accouraient en foule, heureux et contents d'aller aux écoles libres.

Un jour les trois frères prenaient tranquillement leur dîner : tout-à-coup la porte s'ouvre et une troupe d'enfants se précipite dans la salle en s'écriant : »En voici encore un«. C'était un ami de plus qu'ils présentaient à leurs maîtres dans toute l'ivresse de leur triomphe.

Les classes furent bientôt trop petites: il fallut songer à s'étendre et à construire. Un préau fut élevé dans la cour et une grande salle y fut ajoutée. Dès 1854, la première division, trop forte pour un seul maître, fut dédoublée et on créa en même temps une école primaire supérieure avec enseignement de matières facultatives.

Hélas! dès 1853, le Directeur M. Pignolet succombait à la peine. Au mois de février, une chute l'avait condamné au repos et forcément éloigné de ses chers élèves. Il fut trop sensible à cette séparation et voulut reprendre sa classe avant d'être rétabli. Il se fit transporter au milieu de ses enfants, et là, cloué immobile sur une chaise, il faisait sa classe malgré les plus vives douleurs.

En même temps une toux violente épuisait lentement ses forces et minait sa santé ébranlée par
de trop grandes fatigues.

On était au mois de juillet : les examens approchaient; le généreux athlète ne songea pas à
se retirer de l'arène avant d'avoir distribué les
couronnes aux jeunes vainqueurs. Il alla jusqu'au bout; la force de la volonté triompha de
la faiblesse de la nature; mais dès les premiers
jours des vacances il se sentit frappé mortelle-
ment. Bientôt il rendit son âme à Dieu avec
l'énergique résignation du soldat tombé au champ
de l'honneur!

Dieu visitait les siens : le coup était cruel. La
douceur et l'aménité du Directeur lui avaient con-
cilié l'estime des parents et l'affection des élèves.
Plus que personne, M. Braun fut sensible à cette
perte. Ce ne fut cependant pas la seule qu'il eut
à déplorer : l'année suivante il vit partir MM.
Meyer et Hopfner. Les prescriptions de la loi
leur ordonnaient d'abandonner les écoles libres
pour entrer dans les écoles communales. L'Etat
demandait l'engagement décennal, et pour le remplir, ils durent quitter l'asile où s'abritait la liberté.

Malgré ces épreuves, M. l'abbé Braun conservait sa confiance tout entière. Il avait raison.

Dans une congrégation enseignante, le succès des études n'est pas attaché uniquement à tel ou tel maître: le maître peut disparaître, l'esprit restera le même, la méthode ne sera pas changée, le dévouement ne sera pas moins grand, l'union ne sera pas moins parfaite. Un même souffle, une même âme anime tous les membres; une même vie circule partout, une même ambition remplit tous les cœurs. D'autres auxiliaires arrivèrent pour continuer une œuvre dont le succès était désormais assuré. Plus de cent élèves fréquentaient les classes et les sympathies grandissaient de jour en jour, malgré l'opposition d'un certain parti, qui avait recours à tous les moyens pour retenir les enfants à l'école communale.

Ce fut en vain: déjà en 1858, 200 élèves se pressaient autour des frères toujours plus aimés et plus populaires. Il n'était plus possible de critiquer ni leur enseignement ni leur méthode. Les faits parlaient d'eux-mêmes; les succès des élèves vengeaient les maîtres, ceux-ci ne se vengeaient qu'en songeant à mieux faire encore. L'occasion s'en présenta bientôt.

Durant l'hiver 1858—59, on annonça avec grand bruit la création d'un collége communal. Des souscriptions furent ouvertes, des plans furent dressés, des programmes arrêtés. On promit des bourses et des faveurs; bref on signalait les avantages avec une trop visible ostentation pour qu'on pût y voir simplement le désir d'imprimer aux études un plus grand élan. M. Braun estima qu'il ne fallait pas rester en arrière. Il prit les devants pour conjurer le danger qui menaçait l'établissement des frères. Les écoles libres devinrent collège avec pensionnat: le programme des études fut élargi et adapté aux besoins et aux nécessités du milieu qui fournissait les élèves. Le local fut acheté au nom de la Société des frères de Marie, et dès le mois de mai 1859 l'établissement était transformé. La question du collége communal fut remise à plus tard.

Le nouveau collége des frères fut accueilli avec les plus vives sympathies. L'été de 1859 amena déjà des internes. Cependant on n'était pas également satisfait partout de cette nouvelle extension donnnée aux écoles libres de Guebwiller. L'Université commençait à se montrer jalouse. Au mois d'août 1859 un inspecteur d'académie, accompagné d'un inspecteur primaire, entrait dans le nouveau collége. Les frères ne redoutaient nullement une inspection: au contraire ils la désiraient vivement. Le programme de leurs études rivalisait avec celui des écoles de l'Etat. Leur méthode n'était pas strictement uniforme;

8

tantôt simultanée, tantôt individuelle, elle variait suivant les classes et les branches d'enseignement. L'émulation, ce nerf des études, était soigneusement excitée parmi les élèves par la lecture en public des notes des classes. Les maîtres tenaient régulièrement des conférences pédagogiques. Le fonctionnement était parfait; la direction irréprochable.

Ce fut précisément la cause du dépit de l'inspecteur. Après avoir appris aux frères qu'il avait siégé au sénat de l'Empire, ce qui leur importait peu, qu'il avait rempli d'importantes fonctions, ce qui les intéressait guère, il se laissa aller à une explosion de colère inconcevable. On se demandait pourquoi se fâcher, pourquoi s'irriter, quand la critique même n'était pas possible. Un fait était désormais certain: la supériorité des écoles libres sur les écoles communales. Elle avait été constatée officiellement; il fallait donc songer à relever le niveau des études pour soutenir plus noblement la concurrence. La délégation cantonnale avait du reste déjà formulé des vœux à cet égard. L'inspecteur entra aussitôt dans ces vues: il changea le Directeur des écoles primaires et promit en même temps à la ville un personnel enseignant distingué.

Les frères ne se méprenaient pas sur la nature

de cette hostilité. Le nombre de leurs classes et de leurs élèves allait en augmentant. C'était assez pour soulever la jalousie d'hommes, qui ne veulent plus de la liberté, dès qu'elle ne leur est plus profitable. En 1861 on comptait 300 élèves, puis 350, répartis en 8 classes. Une nouvelle opposition se préparait. Au mois d'octobre 1862 le collége communal de Guebwiller s'ouvrit enfin. L'inspecteur avait tenu ses promesses; il avait choisi lui-même les professeurs, et nommé le Directeur de l'établissement. L'enseignement, disait le prospectus, est loin d'avoir été uniquement établi en vue des carrières dites libérales; la part la plus large au contraire a été faite aux carrières industrielles, agricoles, commerciales ou professionnelles par l'établissement des cours spéciaux attachés au collége; il se trouve réparti de la manière suivante: classe préparatoire; classes latines; cours spéciaux.

Le journal de la localité emboucha la trompette pour saluer la naissance de l'astre nouveau, appelé à éclairer le monde! Les discours d'ouverture répétèrent les mêmes banalités avec la même emphase. Rien n'avait été oublié pour célébrer les espérances de l'avenir; rien ne fut négligé pour en assurer le succès. Les promesses, les menaces, tour-à-tour devaient convaincre et persuader!

Les frères pouvaient se croire sérieusement menacés. N'irait-on pas déserter en masse leurs écoles pour s'attacher au char du triomphateur? Aussi, grande fut leur suprise, quand à l'ouverture des classes, tous les élèves accoururent protestant de leur dévouement et de leur fidélité. Deux seulement n'étaient pas revenus: c'étaient les enfants d'un fonctionnaire municipal. Les écoles libres remportaient un brillant succès; la population rendait un magnifique hommage au mérite des frères.

Personne ne s'y trompa: il était aisé de prévoir que ni le parti pris, ni le mauvais vouloir, n'était capable d'arrêter le mouvement. Vers 1866 près de 60 pensionnaires, près de 360 élèves recevaient l'instruction de la part de 15 maîtres, qu'on continuait à traiter d'ignorants et de rétrogrades. Ces ignorantins incapables qu'on calomniait en appelaient publiquement à un concours entre les deux établissements. On n'osa jamais l'accepter. Il était sans doute plus facile d'affirmer la supériorité des professeurs diplomés que de la prouver; mais il était évidemment moins noble de recourir à d'indignes menées et à d'odieuses chicanes, que d'engager résolument la

lutte. M. Braun dut plus d'une fois entrer en
lice pour venger le droit et la vérité contre les
perfides insinuations de ses adversaires. »Vous
n'ignorez pas, écrivait-il, que toute cette discussion a été soulevée par ceux qui, sous prétexte
de sauvegarder les intérèts de la commune, et
au nom de je ne sais quels principes d'égalité et
de convenance, auraient voulu empêcher la fondation dans notre ville d'un nouvel établissement
libre...«[1])

Ces adversaires s'agitaient encore autre part
qu'au collége communal. L'esprit tracassier sait
se nicher partout. Les frères reçurent l'ordre de
supprimer le nom de collége, qu'ils avaient pris
sur les instances de personnes dévouées. Qu'importait du reste le nom? Les écoles prospéraient
au milieu de ces mesquines passions et de ces
basses jalousies. Un moment donné le nombre
des élèves dépassait 400; le collége communal,
qui avait annoncé 99 élèves à son ouverture, n'en
comptait, en 1867, que 94, y compris les externes
étrangers à la ville: les classes latines n'avaient
que 21 élèves. Les chiffres ont leur éloquence:
ceux qu'on vient de citer se passent de commen-
taires.

---

[1] Supplément au journal de Guebwiller, 30 Juin 1867.

Mais c'est peu d'avoir raconté les succès des écoles libres de Guebwiller. Il importe surtout d'en étudier les causes. Il faut pénétrer dans la vie intime du collège pour y saisir l'action et l'influence de M. l'abbé Braun. Il faut le voir en contact avec les élèves et les maîtres, ouvrant aux uns les trésors d'un cœur inépuisable de bonté et de charité, réjouissant les autres par les charmes d'une amitié, dont rien n'a jamais pu troubler l'aimable sérénité. Je ne serai que l'écho affaibli des uns et des autres.

Quand on cherche à se représenter le véritable éducateur, le maître chrétien, on aime à se le représenter sous la figure d'un artiste se passionnant pour la beauté intellectuelle et morale de l'enfant. Cet enfant qui lui est confié, encore enveloppé d'ignorance, d'égoïsme, de paresse, doit le faire tressaillir, comme ferait à un sculpteur le bloc de marbre, d'où il espère faire sortir un chef-d'œuvre. Devant ce petit être ébauché, il rêve un idéal ravissant, l'idéal de la beauté ingénue et candide, et bientôt la science, la parole, la bonté, l'amour, la tendresse, la sévérité, tout deviendra entre ses mains un outil propre à tailler, à polir le marbre immortel de l'esprit.

Saint Jean-Chrysostôme exprime cette idée dans un magnifique langage. »Quoi de plus grand que d'imprimer une direction au cœur et à l'esprit des enfants? Le peintre, le statuaire, les autres artistes, n'occupent pas autant de place dans mon estime que le maître qui s'entend à former le cœur de la jeunesse.« [1])

M. Braun avait sans doute souvent relu et médité ces belles paroles. Son amour pour la jeunesse se retrempait sans cesse à ces sublimes hauteurs pour en redescendre plus simple, plus dévoué, plus aimant.

Les pensées et les sentiments de ces enfants, qui ignorent les grandes joies et les grandes peines, doivent être l'écho de l'enseignement qu'on leur donne. Toute l'œuvre de l'éducation est là. Mais qu'il est difficile de pénétrer dans le sanctuaire intime de la conscience d'un enfant! Il est nécessaire de grandir pour toutes les œuvres de l'intelligence et de l'esprit: ici, au contraire, il est nécessaire de devenir simple et petit comme l'enfant lui-même. M. Braun possédait cette vertu à un rare degré d'élévation! Il avait, en quelque sorte, la passion de l'humilité; se rapetisser, se contraindre, se renoncer, semblait être un besoin de son âme. La vie qu'il préférait était celle où

---

[1] Saint Jean-Chrysostôme, Homélie 60 sur le chap. XVIII de Saint-Mathieu.

sans dignité apparente, sans honneur, sans repos, il pouvait faire le bien à l'ombre, sous le seul regard de Dieu. On comprend ainsi le sentiment qui le portait vers l'enfance : on a ainsi le secret de cette vie cachée, retirée, passée au milieu d'une jeunesse qu'il aimait avec la fermeté du père et la tendresse de la mère.

»L'école pour lui, comme pour l'un de ses anciens amis d'études, était la famille agrandie, où, sous la direction de maîtres dévoués, les élèves sont traités comme des enfants que l'on chérit sans faiblesse, sans préjugés; où ces jeunes étudiants, comme les fils d'une même maison, ont un esprit de corps, basé sur des traditions d'honneur qu'ils doivent s'approprier, un drapeau qu'ils doivent défendre, un uniforme qu'ils doivent respecter.«[1]) Il faut nous arrêter ici pour contempler ce père au milieu de sa nombreuse famille, dépensant pour elle les trésors d'une âme riche d'amour et de dévouement.

La famille à l'école, c'était bien la première nécessité dans une ville industrielle, où dans la plupart des maisons, la famille a disparu du foyer domestique. Comment transmettre aux enfants

---

[1]) M. l'abbé Ch. Martin. Le Collége, p. 18.

les traditions de la foi chrétienne? Comment les former aux nobles vertus et aux fortes habitudes? La question se posait grave et sérieuse pour tout le monde; car l'avenir des enfants, le bonheur et la sécurité des familles dépendaient de la solution de ce problème. La foi et la charité catholiques ont répondu à ce besoin. Elles ont créé les congrégations enseignantes, elles ont recruté ces admirables phalanges de frères et de sœurs au dévouement si pur et si désintéressé.

L'arrivée des frères à Guebwiller fut un inestimable bienfait pour la population de cette cité. Désormais les familles pouvaient être rassurées sur le sort de leurs enfants. On veillait sur eux; on les gardait; on les élevait. Il y avait là des hommes dont la devise était: »*Da mihi animas, cœtera tolle mihi;* laissez-moi les âmes et prenez le reste.«

Cette belle parole était surtout vraie pour M. l'abbé Braun; son ambition n'allait pas plus loin. Il voulait aimer les âmes pour les donner à l'Eglise et à Jésus-Christ; il les voulait pures, innocentes, fortement trempées de christianisme. Pour les façonner, pour les former, il savait multiplier ses forces et ses ressources, donner de l'abondance de son cœur et de son esprit, sans jamais se lasser, sans jamais se fatiguer. Il cherchait

à imiter »le Dieu qui veut être toute chose pour
l'enfant, un père, une mère, un précepteur, une
nourrice.« [1])

Il plaçait la piété au premier rang et estimait
qu'elle devait pénétrer l'âme des élèves, remplir
leur vie tout entière.   A le voir extérieurement,
on aurait pu croire que sa piété était une piété
austère, dure, fatigante. On se trompait étrange-
ment: cette figure s'épanouissait au milieu des
enfants, et la bonté de son âme se trahissait à
travers la limpidité de son regard. Les élèves
devinaient vite ce bon cœur, cette âme affectueuse.
»Point de singularités affectées, point de grimaces,
leur répétait-il souvent; mais une piété simple,
toute tournée vers vos devoirs et toute nourrie
du courage, de la confiance et de la paix, que
donnent la bonne conscience et l'union sincère
avec Dieu.«

Il aimait la piété gaie, expansive, la piété qui
met la joie dans le cœur et un baume de vie
jusque dans le sang. »Qu'elle est admirable l'action divine de la piété sur le cœur du jeune
homme! Tandis que le soleil de la science voudrait dessécher la vie en frappant les parties.

---

[1]) Clément d'Alexandrie.

hautes de la tige, la tendre piété arrose les racines de l'âme et la plante se conserve dans toute
sa verte et vigoureuse fraîcheur.« Cette nourriture, continue le même Père que nous venons
de citer, est douce à cause de la grâce qu'elle
porte avec elle; elle est nourrissante comme la
vie; elle donne la joie et la sérénité comme un
rayon lumineux du Christ.« [1])

Les instructions, les catéchismes de M. l'abbé
Braun s'inspiraient de ces idées: Aimer et servir
Dieu simplement avec la naïve familiarité de
l'enfance. Avant tout Dieu était pour lui le Dieu
bon, le Dieu admirable dans ses œuvres; quand
il en parlait, on sentait qu'il y avait en lui quelque chose de cette bonté divine: l'émotion gagnait
insensiblement tous les cœurs.

M. Braun ne possédait ni l'éloquence qui en-
traîne, ni la véhémence qui emporte; mais il avait
la foi qui vivifie, la chaleur qui se communique,
la netteté, la clarté d'exposition qui instruit et
éclaire. C'était avant tout le prêtre, le père, qui
invitait ses enfants à louer et à bénir avec lui
un Dieu bon et clément, à contempler les magnificences de la création, à admirer les merveilles

---

[1]) Clément d'Alexandrie, Stromates.

d'une religion, où tout est amour et charité.
Quand il énumérait ainsi les beautés de la nature, décrivait les splendeurs du ciel ou célébrait
l'immense bonté de Dieu, les élèves étaient ravis
et transportés: son âme passait en quelque sorte
dans l'âme des enfants pour y déposer l'amour
et y embellir la belle et douce innocence.

Cette parole devenait encore plus affectueuse
et plus aimante à l'approche des fêtes. M. Braun
avait soin de les annoncer d'avance et d'y préparer les élèves. La Toussaint, Noël, le nouvel-
an, devenaient des fêtes de famille; la St.-Nicolas,
le carnaval amenaient chaque année de nouvelles
surprises. L'ennui était inconnu puisque l'uniformité était bannie. Les études n'avaient jamais
rien de repoussant: on attendait avec impatience
que le retour des beaux jours et des fêtes de la
Vierge permît à la famille d'aller prendre ses
ébats au grand air et en plein soleil. On ne
craignait pas de trop multiplier les promenades;
elles étaient une récompense accordée au travail
et à la sagesse.

Chaque année M. Braun se plaisait à faire aux
élèves un pieux pélérinage à N.-D. de Lorette à
Murbach, à N.-D. de Thierenbach, à St.-Gangolf,
à Ste.-Anne, etc. Chaque année il conduisait la
bande joyeuse dans les montagnes. Là il appre-

nait aux enfants à aimer la foi et la prière, et leur inspirait la dévotion envers Marie; ici il leur inculquait l'amour du sol natal et les grands souvenirs qui s'y rattachent. Souvent on partait à quatre heures du matin. Quelle joie! quel bonheur pour les enfants! Adieu les rudiments et la grammaire pour vingt-quatre heures!

A la tête de la troupe, le bâton à la main, le visage souriant, marchait le bon abbé Braun. Autour des maîtres, en rangs serrés, se pressaient les élèves entonnant le chant du départ. Car il n'y avait pas de promenades sans cantiques. Quand le soleil se levait resplendissant; quand les oiseaux saluaient de leurs cris et de leurs chants l'aube du jour, les Clochettes du Ballon mêlaient leurs harmonies au concert de la nature, et les voix argentines des enfants en portaient les échos jusqu'au fond du Florival.

Puis on se mettait en marche par des chemins inconnus. On suivait avec assurance le guide pour lequel les sentiers les plus écartés, les forêts les plus impénétrables, les plus obscurs vallons, n'avaient pas de mystères. Tout était ménagé et comme préparé d'avance: les cascades, les rochers, les ruines, les bruyères. La source invitait au repos; la roche offrait une vue superbe; les ruines d'un château provoquaient une intéres-

sante histoire; le sombre hallier, l'effrayant pré-
cipice, promettaient une émouvante légende; le
gazon enfin faisait espérer un bon dîner cham-
pêtre.

M. Braun variait les plaisirs: les chants, les
histoires, les courses, les haltes, les repas, tout
arrivait à propos. Les poésies du Bölchenglöckchen étaient chantées avec un remarquable entrain: les légendes du Florival étaient racontées
avec le charme et l'intérêt que M. Braun savait
donner à ces sortes d'histoires, les enfants se fa-
miliarisaient avec les lieux qu'ils visitaient, puis
s'essayaient à les décrire à leur tour. On revenait toujours l'esprit enrichi de nouvelles connaissances, le cœur rempli de bons souvenirs,
joyeux et bien dispos. Personne ne songeait à
la fatigue; jamais les pentes n'étaient trop rapi-
des, les montagnes trop élevées, les chemins trop
difficiles.

On nous pardonnera d'être entré dans ces détails: les anciens élèves, qui les liront, se rap-
pelleront avec bonheur ces beaux jours et s'écrie-
ront sans doute avec tristesse: »Mais où sont les
neiges d'antan?« Ces souvenirs M. Braun les a
recueillis dans ses Légendes du Florival, dédiées
à ses élèves. »C'est à vous surtout, anciens élèves
de l'Etablissement, qu'une main d'ami présente

aujourd'hui ce livre, ou plutôt ce recueil, comme un bouquet de légendes que nous avons cueilli ensemble avec les fleurs de la montagne, et qui vous rappellera plus d'un agréable souvenir. Puissent ces souvenirs et les leçons de votre jeunesse vous être toujours également chers!« [1])

D'autres fêtes venaient encore jeter un rayon d'espérance sur les études. C'étaient les fêtes littéraires. Le carnaval apportait aux enfants chaque année de nobles et pures réjouissances; la distribution des prix couronnait dignement de longs mois d'efforts et de travail. M. Braun excellait dans l'art de former les élèves à la déclamation. Il possédait tous les secrets du bien dire. Personne ne savait rendre le comique plus naturel; personne ne sentait mieux les beautés d'un morceau de littérature; et ces talents, il savait les produire dans les jeunes acteurs qu'il préparait.

C'étaient là surtout des fêtes de famille. Les parents étaient invités à venir se réjouir en applaudissant leurs enfants. On n'a pas encore oublié à Guebwiller l'immense intérêt que tout le monde prenait à ces fêtes, la foule qui se pres-

---

[1]) Légendes du Florival, p. XIV.

sait dans les salles de représentation, les succès
toujours grandissants des petits acteurs, la gaieté,
la joyeuse expansion, qui présidait à ces réunions.

M. Braun mettait infiniment de goût dans le
choix des pièces. Il n'aimait pas les grandes re-
présentations, où l'on ne rencontre »que la co-
médie pour rire, ou la philosophie pour dormir«,
et il blâmait énergiquement les pièces en usage
dans la plupart des maisons d'éducation. Il pensait que les œuvres de longue haleine, que les
élèves s'approprient plus ou moins bien et après
une longue préparation, n'étaient guère autre chose
qu'un exercice de mémoire, sans grand profit pour
le cœur et l'intelligence des enfants. L'ensemble,
la disposition, l'agencement des différentes parties
leur échappaient, il ne leur restait tout au plus
qu'une idée confuse et un vague souvenir. Les
petites pièces, au contraire, ont l'avantage de
mieux fixer l'esprit, de frapper plus vivement
l'imagination, d'élever plus noblement le cœur.
De petites pièces, des dialogues, le récit d'une
anecdote ou d'une légende, se gravent plus profondément dans la mémoire et développent plus
facilement le bon goût des élèves. Le peuple,
du reste, comprend mieux ce langage simple, qui,
sans recherche, sans affectation, exprime une vérité morale, flagelle un vice, ridiculise un travers,

que ces grandes phrases trompeuses, qui trop
souvent cachent, sous une frivole abondance de
mots, le vrai sens, la vraie pensée.

Il faut le dire, il n'était pas aisé de trouver
de prime abord un tel choix. M. Braun cherchait
son bien un peu partout; et quand il n'était pas
heureux dans ses recherches, il le tirait de son
propre esprit. Le bon Lafontaine était pour lui
un ami bien connu. L'ami de prédilection était
cependant Hebel, le poëte populaire. Les applau-
dissements qui accueillaient les ingénieuses créations du chantre sundgauien étaient un indice
dont il fallait tenir compte. Entre les scènes charmantes du fabuliste français et les délicieux récits
du conteur allemand, M. Braun savait placer spi-
rituellement ses propres compositions, toujours
pleines »d'humour« et d'actualité. Plusieurs de
ces essais sont de vrais petits chefs-d'œuvres, où
rien ne manque, ni l'esprit, ni l'à-propos. Il se
proposait de réunir en un recueil les morceaux
exécutés à Guebwiller; il est à regretter qu'il
n'ait pu donner suite à une idée, qui eut certainement comblé une grande lacune.

Au milieu de ces fêtes, le plus heureux de
tous était peut-être M. l'abbé Braun. Lui qui
savait si bien mêler les ris et les jeux avec les
occupations sérieuses, éprouvait une joie indicible

9

au milieu des récréations des élèves. Lui aussi, comme un autre ami de la jeunesse, regardant les enfants avec un sourire mêlé de larmes, leur disait : »Mes chers amis, quand vous jouez bien, quand vous courez bien, les anges du haut du ciel sont contents de vous, et moi aussi.« On pouvait le surprendre quelquefois dans l'embrasure d'une fenêtre contemplant, sans être vu, les collégiens qui se livraient à leurs jeux avec toute la pétulance de leur âge. Sa figure avait dans ces moments quelque chose de particulièrement serein; tout son extérieur trahissait la joie et l'émotion de son âme. Il se rappelait sans doute alors les belles années de son enfance, les généreuses espérances qui avaient rempli son esprit au petit séminaire. Il se disait que Dieu lui avait confié cette heureuse jeunesse, et cette pensée transformait son cœur en un foyer inépuisable de dévouement et de patience.

Bien souvent, et surtout durant les longues soirées d'hiver, quand il sentait le besoin de se reposer de ses fatigues, il allait lui-même en récréation. Il se glissait dans un petit groupe, se mêlait à la conversation, éveillait l'esprit des élèves par une curieuse anecdote, faisait rire par un de ces bons mots, qui lui étaient si familiers.

Les nouveaux venus, les nouveaux pensionnaires, étaient l'objet spécial de sa sollicitude et de ses attentions. Ces nouveaux venus, encore tout pleins du souvenir de la famille et de la tristesse de la séparation, retrouvaient en M. Braun leur père, leur mère, leurs jeunes frères et leurs sœurs. Le »mal du pays« était moins pesant, moins pénible. Il y avait bien encore le regret de la famille absente, le vide de la maison, mais ils voyaient autour d'eux des visages leur sourire; ils sentaient près d'eux des cœurs aimants. La tristesse des premiers jours, les ennuis des premiers moments, disparaissaient grâce aux délassements, aux plaisirs, aux récréations, que l'affection vraiment paternelle de M. l'abbé Braun multipliait à l'infini.

Cette douce familiarité, cette paternelle affection, présidaient surtout aux relations intimes : les enfants allaient à M. Braun avec une entière confiance, sûrs de trouver en lui un ami fidèle, un bon conseiller, un père dévoué. Tous étaient accueillis avec cette condescendance affable, cette simplicité cordiale, qui attire et gagne l'enfance. M. Braun répétait souvent ces paroles: »Celui qui est le premier parmi vous, sera le serviteur de ses frères; le plus puissant ne fera jamais que servir.«

Dans ces moments il montrait quelle estime

il faisait de l'innocence. C'était l'homme qui avait
écrit cette belle pensée: »Le ciel avec ses astres
est bien beau, mais le cœur d'un enfant est encore plus beau.« Il y pénétrait sans peine pour
le toucher, l'éclairer, le vivifier. Le rayonnement
de sa propre âme remplissait les jeunes âmes
qui l'approchaient. On revenait consolé, raffermi,
meilleur, plus fervent, plus disposé à mieux travailler, à mieux prier. Car il entr'ouvrait à un
grand nombre l'avenir avec ses espérances en
leur montrant l'étoile mystérieuse de leur vie.
Une fois qu'il avait aimé un enfant, c'était pour
toujours. Son amitié, sa sollicitude, le suivaient
hors du collége, pour soutenir son courage, for-
tifier sa vertu, ennoblir son caractère. Il s'établis-
sait entre lui et ses anciens élèves une corres-
pondance familière. On continuait la vie du collége; on se rappelait les bons souvenirs, les généreuses promesses, les énergiques résolutions.
C'étaient des encouragements, des félicitations,
parfois des plaintes et des reproches, de la part
de M. l'abbé Braun; de bonnes nouvelles, des
protestations de dévouement et de fidélité, de la
part des élèves. On s'explique ainsi l'affection
et l'attachement de tous ceux qu'il avait formés
à la science et à la vertu: là se trouve le secret
d'une reconnaissance qui devra grandir avec les

années. Eux aussi comme un autre élève reconnaissant, rediront:

> Prêtre au cœur d'or qui trônes dans le ciel
> Si depuis, à travers les étoiles
> Tu jettes parfois ici-bas un coup d'œil,
> . . . .
> Ah! si c'est vrai, si tu suis mon chemin
> Tu vois au moins que depuis quarante années
> De tes leçons j'ai gardé le souvenir! [1])

M. Braun, qui se considérait comme le »père
des âmes« des enfants, cherchait à être l'ami de
leurs maîtres; s'il sentait pour les élèves le goût
de la tendresse et de l'affection, il était rempli
pour les frères des plus nobles sentiments d'estime et d'amitié. Le frère des écoles chrétiennes
lui apparaissait sous un double aspect: il voyait
en lui l'instituteur qui se dévoue, le religieux
qui s'immole. Le dévouement a droit à l'estime,
l'immolation commande le respect: mais quand
ce dévouement d'une part et cette abnégation de
l'autre sont encore embellis par les grâces de la
vertu et de la foi, ils inspirent une sorte de culte
religieux. M. Braun subissait l'empire de cette
sainte influence.

Il connaissait du reste trop le prix de cette

---

[1]) Jasmin, Mes nouveaux Souvenirs, IV, p. 362.

vie sans liberté, sans délassements, sans repos,
sans dignité apparente, où il faut toujours se rapetisser, se contraindre, se multiplier, se renoncer à soi-même: il admirait trop ce zèle et cette
sollicitude extraordinaires que demande l'œuvre
de l'éducation, pour ne pas suivre le mouvement
intérieur qui le portait vers des maîtres si modestes et si dévoués. Aussi les frères étaient-ils
souvent confondus des nombreuses marques d'estime et d'affection dont ils étaient l'objet; ils
appréciaient, pour l'avoir vu de près, cet esprit
supérieur, cette intelligence élevée, et ils étaient
étonnés de tant de condescendance, de tant d'affa-
bilité. Ils ont vécu plus de vingt années dans
sa familiarité, et jamais ils n'ont entendu tomber
de sa bouche une seule parole capable de blesser
le dernier d'entre eux.

Il vivait au milieu de leur communauté, qu'il
appelait sa »nouvelle famille«, pour l'édifier par
les exemples d'une vertu qui s'ignorait elle-même,
pour l'égayer par les saillies d'un esprit toujours
agréable, pour l'unir par les liens d'une inalté-
rable affection. Il y répandait à la fois les parfums d'une piété qui n'avait rien de trop austère,
et les trésors d'une érudition qui n'avait rien de
prétentieux. Car toujours sa personne disparais-
sait; il détestait instinctivement »le moi«, et ré-

pétait souvent: »Plus la personne reste cachée, mieux cela vaut.«

Voici le beau témoignage que lui rend l'un de ceux qui ont vécu avec lui: »Il nous honorait d'une amitié vive, sincère, pleine de délicatesse. L'établissement n'était pas son établissement, c'était le nôtre à tous. Tout s'arrangeait d'un commun accord, comme dans une famille étroitement unie. La direction des études, les fêtes littéraires, les promenades, les réunions intimes, tout était animé par un seul et même esprit. Les craintes et les espérances, les joies et les peines, étaient partagées par tous. En un mot, sa vie était notre vie, son esprit était le nôtre, et notre esprit le sien.«

Cet effacement de lui-même touchait au scrupule, nous allions presque dire qu'il était poussé à l'excès. Il n'a jamais voulu se mêler de l'enseignement; il le laissait tout entier entre les mains des frères. S'il lui arrivait d'émettre à ce sujet un avis, il mettait toujours à le donner la plus grande réserve. Et cependant son esprit avait étudié toutes les questions qui se rattachent aux études, et il avait sur tout des idées nettes, précises, raisonnées, qu'il savait présenter sous une forme neuve, originale, piquante.

Il se refusait de même à juger les autres; il

semblait ne pas remarquer les fautes et les défauts d'autrui. Il s'élevait énergiquement contre cette critique amère ou jalouse, qui s'attaque aux personnes pour dénaturer leurs sentiments et leurs intentions. Mais il aimait volontiers à se soumettre à la critique; il était défiant vis-à-vis de son propre esprit et de son talent. Avant de livrer un manuscrit à l'impression, il le communiquait presque toujours à ses amis, souvent au premier venu. Il écoutait les observations avec une attention pleine de déférence; il en tenait compte dès qu'il les trouvait fondées, et se mettait aussitôt à changer, à corriger, à modifier, à retrancher, à ajouter.

Cette humilité, qui aspirait à descendre, devenait expansive quand elle rencontrait une âme noble, un cœur sympathique. Elle prenait alors son élan vers les cieux pour leur ravir quelques-uns de leurs secrets. M. l'abbé Braun a toujours eu beaucoup de goût pour l'astronomie. Il s'était chargé d'un cours élémentaire de cosmographie, que les élèves suivaient avec le plus vif intérèt.

Cette immensité du ciel, cette infinité d'astres, ces mystères qui les enveloppent, ces constellations si belles et si variées, cet ordre admirable qui règne dans l'univers, les lois des corps célestes, tout cela ravissait son âme avide de spéculation et d'infini. Son esprit s'était familiarisé avec tous les systèmes; il avait consulté Copernic, Newton, Képler; parfois il semblait vouloir franchir les limites posées par le génie de ces hommes et s'élancer au-delà. Ce n'était pas chez lui une pure fantaisie, il en avait fait l'objet d'une étude sérieuse: grand nombre de ses poésies trahissent cette disposition de son esprit. Il aimait à certains moments décrire les merveilles et les horizons nouveaux qu'il avait entrevus. Alors il enthousiasmait ceux qui pouvaient le suivre jusqu'à ces incommensurables hauteurs: on restait suspendu à ses lèvres durant des heures entières.

Un soir, c'était en 1862, le lendemain du jour de Pâques, un frère le surprit contemplant la lune qui se levait à l'horizon. Il s'ensuivit un entretien sur la splendeur des cieux qui se prolongea si avant dans la nuit, que M. Braun ne put s'empêcher de dire en souriant: »Je crois qu'il n'est pas trop tôt de nous retirer, sans quoi la lune pourrait se coucher avant nous.« Minuit en effet avait déjà sonné.

Il affectionnait ces sortes d'entretien; il éprouvait parfois le besoin de confier à l'intimité les pieuses pensées de son âme. Son cœur rempli de charité, son esprit plein d'admiration, cher-

chaient un cœur et une âme pour bénir et louer
Dieu dans un même élan d'amour et de reconnaissance. Tous les frères qui l'ont vu à Guebwiller, ont conservé le souvenir de l'une ou l'autre
de ces soirées, où M. l'abbé Braun montait de la
terre aux cieux pour y chanter son magnifique
cantique. Ils n'oublieront jamais, combien dans
ces moments, sa parole avait d'élévation, sa pensée de noblesse et de grandeur, son âme de foi
et de charité.

On a dit depuis longtemps que la vraie grandeur s'alliait toujours à la simplicité et la véritable piété à la franche gaieté. Cette simplicité
était l'une des plus belles vertus de M. Braun,
cette franche gaieté l'un des plus beaux dons de
son heureuse nature. L'une et l'autre s'épanouissaient dans sa »nouvelle famille« pour y répandre je ne sais quoi d'aimable et d'affectueux.
Chaque frère était pour lui un ami qu'il aimait
avec cette cordiale simplicité qui charme et séduit
les plus timides et les plus réservés. Jamais
rien d'affecté, rien de forcé, rien de personnel
dans ses relations: tout y était naturel, oui tout
jusqu'aux plaisanteries dont il savait égayer les
conversations.

La vie de communauté a besoin de gaieté et
de bonne humeur: les religieux, les moines les

plus exemplaires sont presque toujours les plus
gais, les plus joyeux, les plus amusants. Ils
unissent l'angélique gaieté à la simplicité monas-
tique. *Angelica hilaritas cum monasticâ simpli-
citate.* Cette vie n'aurait sans cela rien que de
triste, et cette constante uniformité, ces occupations invariables, ces devoirs imprescriptibles,
mentiraient à cette parole de Jésus-Christ: *Ap-
prenez que mon joug est doux et facile à porter.

M. l'abbé Braun était intimement convaincu
que le professorat exige de ces moments de répit
et de relâche pour détendre et reposer les facultés brisées ou fatiguées par un trop long travail,
et il était admirablement doué pour mettre un
peu de gaieté et d'entrain dans cette existence,
où il y a trop à faire, trop à travailler, trop à
souffrir.

Comme St. François de Sales il voulait des
joyeusetés dans les conversations, disant qu'elles
étaient dans les conversations ce que sont les
fleurs dans un jardin. Aussi était-il disposé à
dire son mot, à rire de bon cœur, à prêter l'o-
reille au récit d'une anecdote amusante ou d'une
scène comique; volontiers écoutait-il une plaisan-
terie pour la rendre ensuite sous une forme plus
curieuse et plus joviale. L'anecdote, la raillerie,
conservaient chez lui leur fraîcheur; c'étaient des

fleurs qui ne se fânaient point, et il les goûtait toujours avec le même plaisir.

Le franc rire part d'ordinaire d'un cœur où tout est en harmonie: les attentions naîssent le plus souvent dans une âme où tout est charité. La charité de M. l'abbé Braun ménageait à ses amis les plus agréables surprises. A l'occasion des fêtes et des anniversaires de la communauté, il était heureux d'augmenter la joie de tous par l'un de ces expédients si familiers aux cœurs généreux. Il avait le talent d'organiser ces fêtes avec la plus exquise délicatesse et de les assaisonner de la plus aimable cordialité.

Est-il nécessaire après ces détails dérobés à l'intimité de parler encore de dévouement et d'amitié? L'amitié est-elle autre chose que le magnifique épanouissement des vertus que nous venons de décrire? Le dévouement qu'est-il, sinon le perpétuel sacrifice de nous-mêmes, de notre âme, de notre esprit, de notre cœur, de nos facultés? Inutile donc d'insister sur ces deux vertus qui brillaient en M. l'abbé Braun de leur plus vif éclat. Mais il importe de remarquer qu'il faut chercher là, en partie du moins, la raison des succès obtenus par les écoles des frères.

Au milieu des peines et des difficultés qui s'échelonnent le long d'une journée de collège,

au milieu du détail infini d'occupations inséparables de l'éducation, les frères ne s'usaient point
à leur pénible et fatigant labeur. La famille, dont
M. Braun était, peut-être à son insu, la tête et le
cœur, était une source intarissable de joies intimes et fécondes. Les frères y goûtaient les plus
douces et les plus nobles satisfactions de l'étude
et de la piété, les délassements les plus vifs et
les plus purs de l'esprit et du cœur, les plus
belles jouissances de l'amitié chrétienne. Et comme
l'a dit St. Augustin : »*Ubi amatur, non laboratur*;
quand on aime bien, on ne sent pas la peine.«

Telle était la vie qui animait les écoles libres
de Guebwiller, quand le contre-coup des évènements de 1870 vint frapper un asile, qui avait
déjà résisté à plus d'une tourmente.

M. l'abbé Braun n'était pas resté étranger à
la marche des idées en Allemagne. Un souffle
de vraie liberté avait traversé les pays que baigne
le Rhin. De toutes parts, on saluait, avec un
enthousiasme qui a reçu un cruel démenti, une
ère de bien-être et de prospérité. L'instruction
en particulier était entrée dans une voie de progrès. MM. Cousin et Rendu, dans des rapports
restés célèbres, avaient initié la France à ce magnifique mouvement. M. Braun osa donc espérer
un essor plus libre et plus indépendant pour une

institution, qui avait toujours désiré grandir au milieu d'une atmosphère moins gouvernementale. Il partageait les espérances et les illusions que nourrissaient, à Mayence et ailleurs, grand nombre d'hommes distingués, si bien qu'en l'entendant exprimer, avec sa franchise habituelle, son opinion à ce sujet, on se surprenait parfois à suspecter son patriotisme.

Hélas! ces illusions durèrent peu; elles furent suivies d'amères déceptions; il y avait plutôt lieu de craindre que d'espérer; M. Braun ne put se cacher que la suppression des frères ne serait qu'une question de temps. Il n'entré pas dans le cadre de ce travail de retracer la douloureuse agonie d'un institut tombé noblement les armes à la main. C'est une page qui appartient à l'histoire des écoles en Alsace, et le temps n'est pas encore venu pour l'écrire. Il suffira de rappeler l'immense cri de douleur et d'indignation qui s'éleva dans la ville, lorsqu'on connut le décret qui condamnait les frères à quitter une cité dont ils avaient été les bienfaiteurs.

M. l'abbé Braun n'eut pas la douleur de voir de ses propres yeux la ruine d'une œuvre qu'il avait fondée au nom de la liberté, qu'il avait soutenue au prix des plus grands sacrifices, qu'il avait vengée contre d'odieuses calomnies et d'in-

justes attaques. Depuis trois mois, il avait pris
le chemin de l'exil pour se soustraire à une poursuite judiciaire, qui devait l'enlever à ses amis
et à sa patrie.

Les derniers jours furent des jours de deuil
et de tristesse. Un père ne quitte pas sans émotion les enfants qu'il a formés à la vertu. Un
ami ne se sépare pas sans larmes de ceux qui
furent les témoins de sa vie. M. Braun quittait
une famille qu'il avait tendrement aimée; les
frères perdaient celui dont l'amitié ferme et inal-
térable avait toujours été leur plus solide appui.
Il en coûtait à ces cœurs de se dire un éternel
adieu! L'heure du départ était arrivée: M. l'abbé
Braun était profondément ému, mais sa figure
était sereine comme d'ordinaire. »*In nomine Do-
mini*«, s'écria-t-il en serrant la main à ses amis.
Ce fut sa dernière parole. Comme le remarque
l'un de ceux qui ont assisté à cette scène touchante, »sa vertu l'élevait au-dessus des choses
d'ici-bas: il supportait l'épreuve à la manière des
saints.«

Le décret de suppression fut signé le 14 novembre 1874, et signifié le 18. A cette douloureuse nouvelle, M. l'abbé Braun écrivait le 24
Novembre: »Votre lettre d'aujourd'hui si pleine
de larmes et d'émotions vient me confirmer dans

mes réflexions de ces derniers temps, et je dois
remercier la Providence de m'avoir éloigné de
mon pays natal, de vous et de nos chers et pauvres enfants avant l'heure de la catastrophe finale
depuis si longtemps prévue d'ailleurs. Si j'en
avais été le témoin, si j'avais dû assister avec
vous à toutes ces scènes si touchantes... je ne
sais ce qu'il en eut été de mon cœur et de ma
tête... J'ai de la peine à maîtriser mon émotion,
et j'ai besoin de relire, pour me calmer et me
consoler, la belle adresse des pères de familles,
qui traduit et résume admirablement les sentiments de tous les cœurs chrétiens, comme aussi
nos sentiments et nos espérances à nous.«

Une énergique protestation fut aussitôt présentée au conseil municipal au nom des pères de
familles; elle se terminait par ces mots : »Nous
prions le conseil d'appuyer notre protestation et
nous l'engageons vivement à faire de son côté ce
que la conscience et le devoir, la dignité et l'honneur, ainsi que le mandat que nous lui avons
confié, semblent lui commander en cette circonstance.«

En même temps une adresse de regrets et de
remercîments était envoyée aux frères. C'était
l'expression de la douleur et de la reconnaissance
de centaines de familles catholiques, atteintes

dans leurs plus chères affections. Nous regardons comme un devoir de publier ici cette pièce : elle honore ceux qui l'ont signée, elle venge dignement ceux qui l'ont reçue, la voici en son entier :

Aux Frères de Guebwiller.

Les parents qui vous ont confié l'éducation de leurs enfants, frappés dans leurs plus chers intérêts, ne peuvent se résoudre à vous voir partir sans vous adresser un cri d'affectueuse reconnaissance, une promesse d'impérissable souvenir, une parole de cruel adieu !

Un cri de reconnaissance pour le dévouement sans bornes, pour l'affection désintéressée, pour les soins continuels, dont vous avez entouré nos enfants durant de si longues années.

Une parole d'impérissable souvenir ! Hélas ! ce souvenir sera toujours mêlé de regrets, mais il sera aussi d'un précieux enseignement. Votre œuvre a cessé au milieu de nous. Dans quelques jours, vous serez loin des enfants qui vous aiment et qui vous pleurent. A nous de la continuer et de l'achever ! Les germes de vertu que vous avez déposés dans l'âme de nos enfants, à nous de les conserver, de les développer, de leur faire porter des fruits !

Nous prenons le solennel engagement de ne

10

pas faillir à notre devoir. Ce sera là du moins pour vous une consolation que de pouvoir penser que le fruit de votre patience et de vos labeurs ne sera pas perdu de si tôt.

Une parole de cruel adieu! Durant ces derniers jours nous sommes venus vous dire quelle est notre douleur, et nos larmes trahissant une émotion, dont nous n'étions pas maîtres, vous ont dit plus encore. Le moment est venu de vous dire une dernière fois adieu. Adieu donc et merci!

Vous emportez nos sympathies, nos regrets... nous allions dire nos espérances, si nous ne savions pas qu'il faut espérer contre l'espérance même!«

Quelques jours après, les frères quittaient Guebwiller emportant avec eux cette adresse, comme le soldat qui emporte du champ de bataille son drapeau mutilé. Ils avaient combattu durant plus de vingt années; ils se retiraient fidèles à leur devise, refusant de continuer la lutte avec les armes qu'on leur offrait.

CHAPITRE VIII.

Amour de M. l'abbé Braun pour les pauvres. — Asile du Florival. — Orphelinat. — Sa charité.

Il ne suffisait pas à M. l'abbé Braun d'avoir créé les écoles libres de Guebwiller; il se croyait débiteur vis-à-vis de tous les enfants, et la salle d'asile excitait sa sollicitude au même titre que l'école primaire. C'était toujours pour lui l'enfance, l'enfance simple et ingénue qui ravissait Notre-Seigneur d'admiration. Il avait sans cesse l'œil ouvert pour veiller sur leur innocence, prêt à pousser, au moment du danger, le cri d'indignation du Sauveur: »Malheur à celui qui scandalise l'un d'entre eux.«

Il y avait au Florival un asile fondé pour les familles de la cité et patronné par deux dames protestantes bien connues par leur esprit de prosélytisme. Elles entretenaient cette école et payaient la maîtresse catholique chargée de la diriger. Tout marchait bien, quand un jour elles osèrent, au nom de leurs convictions religieuses, s'attaquer à

la conscience de ceux qu'elles protégaient. Elles
pensèrent que supportant les frais, elles pouvaient
bien exiger quelque chose en retour. Défense fut
portée de faire le signe de croix et de réciter la
salutation angélique! L'esprit du sectaire étouffait
l'esprit de charité.

Que faire? Fallait-il arracher du cœur des enfants les germes de piété et d'amour qu'on y
avait déposés? Fallait-il les abandonner et se retirer devant ces cruelles et dures exigences? La
maîtresse préférait ne pas vivre que de vivre à
ces conditions. Mais comment se résoudre à dé-
laisser un asile qu'elle aimait? Elle s'adressa à
M. l'abbé Braun et plaida la cause de l'innocence
opprimée. La cause était gagnée d'avance. Le
père avait senti son cœur plus ému qu'indigné.
»On veut les abandonner, s'écria-t-il, nous saurons les recueillir.«

Quelques jours après, un local était disposé
pour recevoir les enfants dans une école désormais libre et catholique: salles, bancs, cour, jardin, tout était organisé. L'avenir était en même
temps assuré: l'ingénieuse charité de M. Braun
n'avait rien oublié. La maîtresse, heureuse au
milieu de son petit troupeau, touchait son modeste
traitement; les enfants jouaient dans une cour
plantée d'arbres et entourée d'une palissade. Une

nouvelle somme était inscrite au budget de la charité; elle fut payée durant plusieurs années.

Mais il y avait d'autres enfants plus dignes encore de pitié et d'intérêt: c'étaient les pauvres orphelins toujours si nombreux dans une ville industrielle. Guebwiller avait triplé sa population sans tripler ses ressources; l'industrie y avait augmenté dans des proportions incroyables, mais en même temps la pauvreté et la misère s'étaient développées dans des proportions non moins grandes. L'hôpital récemment agrandi n'avait pas assez de revenus pour suffire aux malades les plus nécessiteux, comment alors songer aux orphelins? On avait bien constitué des caisses de secours, fondé l'œuvre des crèches, créé un bureau de bienfaisance, mais que devenait l'enfant dont le père et la mère avaient usé leur vie au pénible travail de la manufacture? La charité chrétienne ne pouvait voir ces pauvres abandonnés sans se sentir émue.

M. l'abbé Braun songea à créer en leur faveur une œuvre catholique et à doter sa ville natale d'une maison du bon Dieu. Les orphelins devaient retrouver auprès de secondes mères les soins, la tendresse, l'affection, le dévouement, dont ils avaient été l'objet de la part de leurs premières. Il s'entendit avec M. le curé Schneider, dont le nom était synonyme de bonté, et ensemble ils ouvrirent le 12 Novembre 1853 l'orphelinat de Guebwiller.

L'âme de St. Vincent de Paul allait de nouveau opérer des prodiges. Trois sœurs du divin Sauveur avaient été appelées de Niederbronn; une petite maison fut louée, quelques orphelins furent recueillis. La charité seule avait inspiré cette œuvre, qui n'avait d'autre ambition que d'aimer de pauvres innocents que personne n'aimait plus. On voulut y voir autre chose. Cela devait être: la contradiction s'élève toujours méchante et cruelle au début des bonnes œuvres. Mais ni la défiance des uns, ni la malveillance des autres ne purent décourager les généreux fondateurs. Ils étaient disposés à faire le bien dans la mesure de leurs forces, sans se préoccuper de railleries ou de propos dont la mauvaise foi était évidente.

Leur pensée avait du reste été parfaitement comprise: le peuple salua avec bonheur l'œuvre naissante. Elle répondait à une nécessité, et aujourd'hui que les résultats ont dépassé toutes les espérances qu'on pouvait en concevoir, on a peine à s'expliquer l'opposition qui, il y a plus de vingt ans, essaya d'enrayer cet élan de charité catholique.

Dès 1856 les fondateurs achetèrent une maison et conquirent ainsi définitivement droit de cité. Dieu avait béni l'asile des pauvres. Sa Providence demeurait visiblement au milieu de ces orphelins qui apprenaient à la bénir, à l'aimer, à la remercier. Elle, qui veille sur le passereau des champs et donne chaque jour la pâture aux petits des oiseaux, ne peut refuser le pain et le vêtement à l'innocence qui l'implore à genoux. Si elle se montrait de temps en temps avare de ses dons, c'était à l'égard des bonnes sœurs! L'épreuve est la pierre de touche de la charité! Quand tout semble perdu du côté des hommes, on se tourne plus volontiers vers Dieu. La confiance en Dieu seul a toujours été le suprême espoir des âmes en détresse.

Les sœurs le savaient: leur confiance grandissait avec les besoins et les épreuves. Le prophète n'avait-il pas multiplié l'huile et la farine à la veuve de Sarepta? Le bras de Dieu serait-il raccourci, ou sa bonté serait-elle moins grande sous la loi de l'amour? Bien des fois on se demandait douloureusement où l'on prendrait le pain du lendemain: le lendemain arrivait et les enfants n'avaient pas besoin de ramasser les miettes de la veille; ils mangeaient, ils étaient rassasiés et ne soupçonnaient rien des peines et des souffrances de leurs mères. Dieu avait envoyé son Elysée.

Le petit troupeau était loin de diminuer: chaque jour on présentait au nom de Dieu de nouveaux orphelins. Comment les refuser? N'avaient-ils pas les mêmes droits à la même sollicitude, à la même charité? Leurs voix plaintives ne trouveraient-elles pas un écho bienveillant? M. l'abbé Braun ne savait jamais reculer. Il résolut de faire un pas en avant. Pourquoi hésiter encore? Son œuvre avait vécu; elle avait grandi aimée de Dieu et bénie des hommes. De concert avec M. le curé Dieterich, il acheta la propriété de M. Munsch au prix de 22.000 francs. On vendit la première maison depuis longtemps trop petite. M. Braun ajouta au prix qu'on en retira un don personnel de 9000 francs; le reste fut emprunté.

Les orphelins avaient donc désormais une maison spacieuse: on ne se verrait plus dans la cruelle nécessité de repousser les pauvres en leur disant: nous n'avons plus de place. C'était en 1858. De nouvelles sœurs arrivèrent. La famille se développait pas assez sans doute pour le zèle infatigable des sœurs et les besoins toujours croissants de la ville, trop peut-être pour les ressources dont on disposait. Souvent la bonne volonté, la confiance des religieuses, étaient soumises à de rudes épreuves. Qui n'a pas senti les tortures du dénuement se représentera difficilement ces souffrances morales. Dans ces moments d'angoisse, on se rendait chez M. l'abbé Braun: on en revenait toujours rassuré et consolé. Sa parole relevait les courages, ses conseils prévenaient de nouvelles difficultés, ses démarches créaient des secours inattendus, sa charité multipliait ses libéralités: toujours l'ange des pauvres inscrivait dans le livre de vie un bienfait de plus.

En 1871 des agrandissements furent jugés nécessaires. Plus de cent orphelins s'abritaient dans l'asile des sœurs. Cette petite communauté exigeait de vastes dortoirs, des salles de classe, des cours, une chapelle. Une somme de mille francs combla la mesure des générosités de celui que depuis longtemps on appelait le »père des orphelins.« L'exil et la mort l'ont enlevé à leur affection, mais il continue du haut du ciel à être leur protecteur.

L'âme de M. Braun était du reste ouverte à toutes les infortunes. A cette multitude de pauvres et de malheureux, condamnés au travail et aux privations, et exposés aux injustices des uns et aux vexations des autres, elle a toujours

prodigué non-seulement le pain qui nourrit, mais
cette sympathique affection qui console, ce dévouement efficace qui est le complément de la
charité chrétienne. Elle avait plaidé la cause des
Allemands à Paris; elle avait ouvert une souscription en faveur des prêtres persécutés du duché
de Bade, elle avait versé du baume sur toutes
les souffrances et sur toutes les douleurs. Mais
ce n'était pas seulement les grandes épreuves
que cette charité cherchait à prévenir, elle des-
cendait aussi dans le détail des misères humaines
pour les soulager et les guérir. L'ouvrier malade,
la veuve abandonnée, le pauvre honteux, tous
trouvaient en M. Braun un protecteur, un ami,
un bienfaiteur.

On ne s'adressait pas vainement à lui: on le
savait, et plus d'une fois sa charité fut trompée,
plus d'une fois elle obligea des ingrats. M. l'abbé
Braun continuait ses bonnes œuvres et ses pieuses prodigalités sans se plaindre, sans se décourager. L'ingrat ne devait pas priver l'indigent du
patrimoine des pauvres, ni tarir les sources de
la charité chrétienne. Jamais on ne l'a entendu
s'écrier: » Vellem non dedisse, je voudrais n'avoir
pas donné!« Il a connu les ingrats comme tout
homme de bien, et comme tout cœur généreux
il avait horreur de l'ingratitude, mais rien n'était

capable d'arrêter le cours de ses bienfaits. »Je n'attends rien de ces gens-là, écrivait-il un jour en apprenant qu'on avait abusé de sa bonté, et cela me montre une fois de plus que les plus vifs solliciteurs sont les plus ingrats: ce serait se décourager de toutes les bonnes œuvres, si l'on n'avait pour s'en consoler ses bonnes intentions et le regard du bon Dieu, dont la miséricorde doit être après tout notre seule récompense.«

Le secret de sa charité se révèle tout entier dans ces quelques mots. Derrière l'homme il voyait Dieu, derrière le pauvre il voyait Jésus-Christ. Il se considérait lui-même comme le »pauvre du Christ.« Il n'osait refuser de peur de refuser à un nécessiteux. Comme le séraphique mendiant d'Assise, il se serait cru obligé de courir après le pauvre qu'il n'avait d'abord pas jugé digne de sa confiance.

Il fut à Paris ce qu'il avait été à Guebwiller, à Einsiedlen ce qu'il avait été à Paris. Les Alsaciens malheureux venaient frapper à sa porte dans sa solitude d'Auteuil, les pauvres de la Suisse connaissaient très-bien les sentiers de ses promenades. Mais ni en France, ni en Suisse, il ne put oublier »ses pauvres«, les pauvres qu'il avait dû abandonner. Sa charité ne voulut pas s'exiler; elle resta près de ses amis pour leur

continuer ses largesses et ses libéralités. Il pour-
voyait de Paris aux besoins de plusieurs familles,
dont il avait été le conseiller et le soutien; et,
quand le collège des frères fut fermé, il s'offrit
à couvrir les frais d'éducation de quelques élèves
trop pauvres pour terminer leurs études. Dieu
sait au prix de quels sacrifices! Un jour on lui
apprit »qu'il n'y avait plus rien dans le sac.«
Fallait-il s'en affliger? Pas le moins du monde:
M. Braun se rappelait qu'un peu dans le creux
de la main, avec le repos, vaut mieux que les
deux mains pleines avec l'affliction de l'esprit. [1])

Cette charité inépuisable était en même temps
prompte et prévenante, douce et humble. M. l'abbé
Braun mettait en pratique ce précepte:
Inopi beneficium bis dat, qui dat celeriter. (Publ. Syr.)

Il aimait à surprendre, à prévenir. Maintes fois
des familles nécessiteuses recevaient des secours
sans connaître la main amie qui les envoyait:
elles bénissaient le bienfaiteur inconnu, et les
anges portaient au ciel les larmes de leur reconnaissance. Il avait médité ces paroles de l'Ecclésiastique: »A cause du commandement de Dieu
assiste le pauvre: ne le renvoie jamais les mains
vides parce qu'il est dans l'indigence; sache per-

---

[1]) Ecclés. IV, 6.

dre ton argent pour ton frère ou pour ton ami;
place ton trésor dans les préceptes du Très-Haut;
il te sera plus utile que l'or.« [1])

Mais il aimait à donner en cachette. Il se
contentait de verser ses aumônes dans le sein des
pauvres. Il ne craignait qu'une chose, de n'être
pas assez généreux. Il avait même, pour secon-
der ce besoin de son âme à distribuer sans être
connu, des personnes de confiance, qui allaient
visiter les malades et consoler les malheureux
avec l'offrande de sa charité. Touchante délicatesse d'un cœur qui avait recours à de pieuses
industries pour conserver intact le parfum de ses
bonnes œuvres! Les intentions de messe, rétri-
bution que l'Eglise n'a jamais consenti à recevoir
comme salaire, mais comme aumône, un prêtre
était chargé de les partager entre les indigents
de la paroisse.

Jamais il ne méprisait une âme qui avait faim,
et ne l'aigrissait pas dans sa détresse. Mais il
inclinait sans dégoût son oreille vers le pauvre,
acquittait sa dette et lui répondait avec des paroles de paix et de douceur. [2]) Il ne mêlait point
les reproches au bien qu'il faisait, et ne mettait

---

[1]) Eccli. XXIX. — [2]) Id. IV.

point dans les dons des paroles dures et amères :
il n'oubliait jamais que la parole douce vaut mieux
que le don lui même, qu'elle est comme la rosée
qui rafraîchit l'ardeur du jour. [1]) Des larmes de
joie dans les yeux d'une pauvre mère qui recevait du pain pour sa famille; un serrement de
main d'un honnête ouvrier, qu'il mettait en mesure d'attendre le retour du travail, étaient pour
lui la plus grande des récompenses. »Je n'au-
rais jamais cru, lui écrivait à Paris un pauvre
Alsacien, que je descendrais si bas; j'ai cherché
par tous les moyens possibles à (supporter) ma
famille par mon travail, mais cela n'a pas suffi.
Merci mille fois du mandat de poste que vous
m'avez envoyé. Que Dieu vous le rende au cen-
tuple.«

Mais comment retracer les libéralités d'un
homme qui prenait tant de soins à les cacher.
La société de Saint Vincent de Paul, les ouvroirs,
les asiles, une foule d'autres bienfaisantes institutions pourraient témoigner de cette inépuisable
charité et prouver que jamais on ne saura les
largesses de cet homme de bien, dont la main
gauche ignorait ce que donnait la main droite.

---

[1]) Eccli. IV.

Un moraliste avait dit:

Non facile invenias multis ex millibus unum
Virtutem pretium qui putet esse sui.

M. l'abbé Braun était cet homme qui ne cherchait sa récompense qu'en Dieu et dans la vertu.

On peut se demander comment cette charité
a pu être si prodigue de ses bienfaits. Possé-
dait-elle le don des miracles? Non: elle avait
pour compagne la simplicité, et quand ces deux
vertus, filles du ciel, se donnent la main sur la
terre, elles opèrent des prodiges. M. Braun avait
le culte de la simplicité; il éprouvait le besoin
de s'oublier, de s'effacer, de se priver, pour relever, consoler, réjouir les pauvres. Ce qu'il donnait aux autres, il se le refusait à lui-même. Jamais on ne l'a vu se permettre une seule dépense
par plaisir ou par caprice. C'est le témoignage
d'un ami qui a vécu seize ans dans son intimité.
Frugal et sobre dans ses repas, modeste dans
son mobilier, il avait horreur de ce confort et de
cette finesse de goût trop à la mode de nos jours.

Tous ceux qui l'ont connu ont admiré la simplicité de sa vie, la modestie de ses goûts, son
amour de la pauvreté, son horreur pour tout ce
qui sentait le luxe ou le bien-être. A le voir
chez lui, entouré de livres, dans son cabinet de
travail, où rien ne révélait la richesse, ni même

l'aisance, on songeait involontairement à cette·
heureuse médiocrité appelée »aurea« par les anciens. On ne pouvait s'empêcher d'aimer et d'estimer cet homme, qui dépensait en bonnes œuvres
ce que le monde jette dans les jouissances et les
plaisirs. »Heureux le riche qui a été trouvé sans
tache, qui n'a point couru après l'or, et qui n'a
pas placé ses espérances dans les trésors. Quel
est-il? Nous le louerons, car il a fait de grandes
choses dans sa vie.« [1])

Et cependant M. Braun était plus attaché à
cette pauvreté que l'avare à ses trésors. Obligé
de la quitter il se sentira ému jusqu'aux larmes,
comme lorsqu'on quitte un ami. »Ce n'est pas
sans un sentiment de mélancolie que j'ai dispersé
mon modeste petit mobilier. Mais, ajoutait-il, il
faut si peu de place pour une tête d'homme.«
C'était la simplicité antique relevée par la simplicité évangélique.

Cette modestie et cette simplicité, que M. Braun
portait dans sa vie privée, le suivaient aussi dans
ses relations avec le monde. Il n'a jamais am-
bitionné d'être quoi que ce soit; il n'a jamais bri-
gué ni la gloire ni les honneurs; il n'a jamais

---

[1]) Eccli. 31.

songé à se prévaloir de ses beaux talents; il n'a
jamais désiré de titre honorifique, et il est mort
sans qu'aucune distinction soit venue rendre hommage à ses rares mérites. Il était du petit nombre de ceux qui ont l'ambition de ne rien être:
cette ambition du moins ne fut pas déçue.

Ce qu'il recherchait dans les réunions, c'était
non la première, mais la dernière place. La plus
grande réserve s'unissait en lui à la plus grande
modestie; il parlait peu, et quand on lui demandait son avis sur une question, il l'exprimait toujours avec beaucoup de retenue. On pouvait
croire ainsi que le fond de son caractère était
froid, défiant, misanthrope. On se trompait: on
ne tardait pas à surprendre un cœur rempli d'affection et de charité, une âme pleine de sentiments et de délicatesses. Comme ces arbres du
Nouveau-Monde qui renferment, sous une écorce
grossière, les plus agréables senteurs, M. Braun
cachait, sous un extérieur sévère, le cœur le plus
affectueux et le plus aimant.

Les nombreux amis, qui ont été honorés de
sa confiance, conserveront longtemps le souvenir
de cette âme d'autant plus belle, qu'elle parais-
sait s'ignorer elle-même. Ils espéraient jouir longtemps encore de la douce familiarité de ses vertus, et se consoler près de lui des tristesses du

11

présent. L'heure de la séparation a sonné plus tôt qu'ils ne pensaient. Il ne leur reste qu'à répéter ces paroles que M. Braun écrivait lui-même: »Dieu merci! nous ne sommes pas de ceux qui n'ont pas d'espoir dans leur tristesse. Après tout les cœurs peuvent s'unir en Dieu à toutes les distances, dans l'exil comme dans la patrie, et sans que la mort puisse rompre ces liens.« [1]

---

[1] Lettre de 1874.

CHAPITRE IX.

**Amour de M. l'abbé Braun pour le peuple. —
Question ouvrière. — Ecoles de nuit. — Paroisse
de St. Léger. — Calvaire. — Bruderhaus. —
Oeuvres populaires.**

De bonne heure M. l'abbé Braun s'était incliné
vers le pauvre, vers l'ouvrier. Ses rêves de collégien, ses ambitions de séminariste, n'avaient
pas eu d'autre objet. Sa vie tout entière ne fut
que le commentaire de ces mots: *transiit bene-
faciendo.* C'est pour le peuple qu'il a fondé le
Volksfreund; c'est pour le peuple qu'il a ouvert
les écoles libres de Guebwiller; c'est pour le
peuple qu'il a créé l'orphelinat des sœurs.

Son esprit observateur lui avait révélé les
véritables causes du mal dont souffrent les cités
industrielles. Il souscrivait de grand cœur à
toutes les bonnes œuvres en faveur des ouvriers,
mais il ne pouvait se dissimuler qu'on ne s'était
jamais attaqué à la racine même du mal. Plus
que personne il aimait l'instruction et désirait la
voir se répandre parmi les classes laborieuses,

mais à l'encontre de certains esprits enthousiastes, qui prônent la science comme l'unique et
suprême palladium des sociétés modernes, il affir-
mait hautement qu'il faut chercher ailleurs le remède. »On aurait tort, écrivait-il, de vouloir tout
attendre de l'instruction, comme si la probité et
la moralité, l'esprit d'ordre et de travail, dépendaient nécessairement du degré d'instruction que
l'ouvrier possède.«

Ce n'est pas tant l'ignorance que l'immoralité
qui désole les villes industrielles. »Le remède
au mal est tout entier entre les mains des chefs
d'établissement, à qui l'on ne demande d'ailleurs
aucun sacrifice ni de temps ni d'argent. Ainsi,
une recommandation aux ouvriers pour qu'ils
aient à veiller sur les plus jeunes, c'est-à-dire
aussi sur eux-mêmes, interdiction des jurements,
propos et chansons obscènes, surveillance des
sorties, qui deviennent trop souvent, à deux pas
de l'atelier, l'occasion d'une immoralité précoce,
défense de la pipe et du cabaret jusqu'à un âge
déterminé, surveillance des maîtres s'étendant,
comme pour les écoles, aux offices du dimanche,
tout cela n'aurait certainement rien de compro-
mettant, et le chef d'établissement qui en prendrait l'initiative n'en serait que plus estimé de
ses propres ouvriers. Pourquoi n'essaierait-on pas

en Alsace ce qui a si bien réussi ailleurs, tant à l'intérieur qu'à l'étranger? Je sais que l'on attribue quelquefois cet état de choses à la diversité des cultes entre le patron et l'ouvrier, comme si le patron était intéressé à ce que l'ouvrier n'eût aucun culte, ou comme si l'éducation morale du peuple n'était pas de tous les cultes? Ne faudrait-il pas admettre plutôt que si l'on ne songe pas à remédier au mal, c'est parce que l'on y est tellement habitué qu'on ne semble pas s'en apercevoir? L'exemple d'un seul essai serait, à mon avis, un service de plus à rendre à notre population ouvrière, et peut-être le plus utile de tous.« [1])

La parole de M. l'abbé Braun reposait sur l'autorité d'une expérience fondée sur l'observation, basée sur les faits, et mûrie par plus de vingt années d'études. Ce n'était pas un homme de théories ou de spéculation, c'était avant tout un homme pratique. Il vivait au milieu des ouvriers; il connaissait leurs habitudes; il avait pénétré dans leurs familles, et quand il parlait ou écrivait, sa parole était toujours l'écho fidèle

---

[1]) Extrait d'une lettre adressée à l'auteur d'une brochure en faveur des ouvriers.

d'un esprit, qui dictait ce qu'il avait vu. Il laissait à d'autres le soin de disserter et de discuter
dans le silence du cabinet, et de construire de
vastes systèmes sur une organisation entrevue à
travers le mirage d'une riante imagination. Pour
lui, il préférait agir, se mettre à l'œuvre, et es-
sayer, dans la mesure de ses forces et de ses
moyens, d'apporter sa part d'action à une restauration si ardemment désirée.

Dès 1853, il avait ouvert, dans l'établissement
des frères, des écoles de nuit pour les enfants
condamnés au travail à un âge, où leur esprit et
leur cœur ont le plus besoin d'un maître dévoué
pour instruire l'un et élever l'autre. Ces écoles
avaient reçu, sous l'Empire, une vigoureuse im-
pulsion, et elles s'étaient propagées en France
avec une merveilleuse rapidité. On appelait à
l'étude de pauvres petits travailleurs à un moment où peut-être ils désiraient se remettre des
fatigues de la journée; on les invitait à venir
s'asseoir sur les bancs à une heure déjà avancée:
comment les intéresser? Comment les reposer?

M. l'abbé Braun s'y entendait admirablement.
Ces heures du soir étaient des heures de récréation et de délassement. Les enfants se pressaient
en foule dans ces écoles et ils y venaient avec
empressement. M. Braun était moins un maître

qu'un père, dont le cœur débordait d'amour et d'affection en leur présence. Sa parole aimante et persuasive trouvait le chemin de l'âme; ses entretiens simples et familiers ne lassaient jamais. Dans ces moments, il parlait de l'abondance du cœur: ne parlait-il pas aux pauvres, aux petits, aux amis de Jésus-Christ? L'inspiration arrivait naturellement; elle animait sa parole et jusque sa figure, qui était alors rayonnante de bonté et de douceur. L'heure avançait, personne ne bougeait, tout le monde écoutait.

Il y a en effet pour le pauvre un charme infini d'entendre un langage vraiment sympathique, un langage en rapport avec ses besoins, ses faiblesses, ses misères, un langage qui le transporte au-delà de ce monde, et qui à travers les sombres tristesses du présent lui fait entrevoir les suaves clartés de l'éternité! M. Braun avait le secret de ces entretiens où le cœur s'élève sans effort, où l'âme s'échauffe d'elle-même. Il possédait de plus le talent de parler au peuple, au pauvre, dans sa langue, et en quelque sorte avec son esprit et son âme. Les ouvriers apprenaient ainsi à estimer la vertu, à connaître le devoir, à aimer la foi. Au milieu de cette atmosphère pure et sereine, ils se sentaient pleins de respect pour eux-mêmes, puisqu'ils voyaient autour d'eux des

hommes qui les aimaient sans calcul et sans
arrière-pensée. Ils furent tous inconsolables lorsqu'il fut défendu à ces hommes de bien de leur
continuer leurs bienfaits et leur amitié. Un jour
les écoles de nuit furent supprimées parce qu'elles
n'étaient pas légales!

Dans cette restauration morale, le clergé catholique a toujours eu la part la plus large au
travail et à la peine. Partout où son influence
n'a pas été entravée, partout où son action a pu
s'exercer en liberté, on l'a toujours vu relevant
le peuple de son abaissement et lui imprimant
les fortes habitudes et les fécondes vertus.

A Guebwiller on n'a encore oublié ni la direction affectueuse de M. Lecœur, ni le gouvernement sage et paternel de M. Schneider, ni la
parole populaire de M. Dietrich. Le bien qu'ils
ont fait au milieu de cette cité est encore présent
à tous les souvenirs. Mais a-t-on jamais songé
au prix de quels efforts et de quels sacrifices ils
l'ont accompli? Cette immense paroisse n'était-
elle pas un fardeau trop lourd pour un seul
homme? Comment réunir au pied d'une même
chaire les centaines de familles éparpillées dans
les deux cités ouvrières? Il y avait bien deux
églises vastes et spacieuses, mais elles apparte-
naient à une seule et même paroisse. L'église

de Notre-Dame, malgré la majestueuse grandeur de ses proportions ne pouvait couvrir de son ombre la ville tout entière.

M. l'abbé Braun souffrait depuis longtemps d'un tel état de choses. Il était le témoin attristé de la douleur des pasteurs impuissants à conjurer le mal. Mais comment y remédier? Comment faciliter au peuple la pratique de sa religion? Il n'y avait d'autre solution que la création d'une seconde paroisse. Cette idée n'était pas nouvelle. L'évêque de Strasbourg, dans ses visites pastorales, avait souvent exprimé le désir d'ériger l'église St.-Léger en église paroissiale. Déjà même il avait ouvert les premières négociations, et le gouvernement français les avait accueillies très-favorablement.

Sur ces entrefaites, M. le curé Dietrich vint à mourir. Le moment d'agir semblait venu. Il fallait répondre aux vœux des populations catholiques et remplir un devoir de charge pastorale. Une certaine opposition s'éleva dans la localité. On n'osait pas nier la nécessité d'augmenter le personnel du clergé, ni même contester absolument la nécessité d'une seconde paroisse. On soulevait plutôt des points secondaires, des questions de détail, avec l'arrière-pensée cependant d'empêcher une solution définitive.

M. l'abbé Braun avait suivi les mouvements de cette opposition: il connaissait les influences cachées qui la soutenaient et les motifs non avoués qui l'avaient inspirée. Il entra ouvertement en lice pour prendre en main les intérêts du pauvre et de l'ouvrier. Il publia une brochure allemande sous ce titre: »Pourquoi la ville haute demande-t-elle une paroisse?« C'était, comme il le disait lui-même, un mot sérieux sur une importante question.

Est-ce innover que d'ériger une seconde paroisse? Non, répondait-il. St.-Léger n'existait pas encore, et déjà Guebwiller possédait deux églises dans lesquelles se célébrait l'office divin. Les catholiques allaient prier séparément dans les chapelles de St.-Michel et de St.-Nicolas. Plus tard, ils durent descendre dans la vallée pour se protéger contre de trop fréquentes invasions. La belle église St.-Léger fut alors bâtie et elle devint aussitôt le centre d'une cité nouvelle. Mais déjà au XIIIe siècle on se sentit à l'étroit; la ville s'était développée très-rapidement et dès 1312 les fondements d'une église plus vaste et plus grande étaient posés. Les Dominicains arrivaient en même temps. La nouvelle église se transforma en église paroissiale: on y annonçait la parole de Dieu, on y administrait les sacrements. La tourmente révolutionnaire chassa les religieux et confisqua leurs biens. L'orage passé, la ville haute fit généreusement le sacrifice de ses titres et de ses privilèges. Elle consentit à livrer ses trésors et ses ornements : l'église canoniale des princes-abbés de Murbach recueillait la succession de St.-Léger et des Dominicains.

Depuis, Guebwiller, grâce à l'essor imprimé à l'industrie, est devenu l'une des villes les plus populeuses du Haut-Rhin. Et cependant malgré le chiffre toujours croissant de la population, le personnel du clergé n'a été augmenté que d'un seul vicaire. Comment donc suffire aux besoins de 11,000 catholiques? Comment avec 452 baptêmes, 317 décès, 25,000 communions par an, s'occuper des soins que réclament au-delà de 200 premiers communiants et plus de 1000 enfants qui doivent fréquenter les catéchismes de persévérance. Le curé peut-il encore se dire : »Je connais mes brebis, et mes brebis me connaissent« ? Evidemment non. Dès lors qu'y a-t-il d'étonnant que l'évêque de ce diocèse soit entré en pourparlers avec le gouvernement? Dès lors quoi de plus naturel que la ville haute ait applaudi à cette mesure et lui ait envoyé une adresse de remerciements? Quoi de plus légitime que la pétition présentée au conseil municipal? On ne peut

manquer de la prendre en sérieuse considération.
L'occasion ne se présenterait plus sous des aus-
pices aussi favorables. C'est une affaire d'honneur et de conscience puisque les intérèts religieux de notre population le demandent impé-
rieusement.

Et qu'on ne dise pas qu'en augmentant le
nombre des vicaires, on obtiendrait les mêmes
résultats. Non! c'est avoir du curé une idée
fausse et incomplète. Le tout n'est pas de prè-
cher, de baptiser, d'enterrer, de chanter des messes.
Le véritable pasteur se doit tout entier à son
troupeau, aux grands comme aux petits, à toute
heure, en toute ciconstance. A lui de veiller au
salut de tous, de conserver la foi, de pousser le
cri d'alarme, de censurer les vices. A lui de
visiter les malades, de soulager les malheureux,
de toucher les pécheurs. Or, dans une paroisse
aussi étendue que celle de Guebwiller tout cela
devient impossible. Trop souvent il doit se résigner à regarder du haut de sa grandeur comment vont les choses: il règne encore, mais il
ne gouverne plus.

Pourquoi parler d'esprit de parti, de rivalités,
de jalousies? Serait-ce donc chose si blâmable,
si les deux paroisses rivalisaient entre elles pour
la solennité des offices, la propreté et la décora-

tion du lieu saint, la beauté et la dignité du chant religieux? L'église de St.-Léger, l'une des plus anciennes de l'Alsace, tombe en ruines uniquement parce qu'elle n'est pas église paroissiale! L'étranger qui vient visiter notre ville ne peut s'empêcher de s'écrier: »Quel magnifique monument! Dommage qu'il n'ait pas de maître.« Une restauration est nécessaire; un nouveau curé seul peut la conduire à bonne fin. Mais les frais! mais les dépenses! Eh! ne serait-il pas permis de s'imposer de nouvelles charges, quand elles sont demandées au nom de 11,000 catholiques? Quoi! on dépenserait 8770 francs pour la police de la ville, 5000 en secours aux pauvres, 13,500 pour les écoles primaires, 5000 pour le collége, et seul l'enseignement religieux n'aurait droit à rien! A-t-on oublié que l'instruction religieuse, l'éducation chrétienne sont absolument indispensables à la jeunesse? L'homme n'est pas meilleur parce qu'il sait lire et écrire, et il ne respecte pas mieux le bien d'autrui parce qu'il sait calculer!

Pourquoi parler de frais et de dépenses? Que demande-t-on à la ville? Un local convenable pour un curé et deux vicaires. Or, en enlevant un vicaire à la paroisse d'en bas, il resterait les frais d'entretien pour un vicaire, puisque le curé

touche son traitement de l'Etat. Et l'on ne pourrait supporter ces frais, quand le budget de l'année courante accuse 145,000 francs de recettes
contre 132,000 francs de dépenses ! Et se dire que
la grande opposition vient de là ! Guebwiller ne
serait pas en état de louer une maison curiale,
de meubler un presbytère !

Terminons. Quoiqu'on puisse encore élever
pour ou contre, qu'on ne suspecte pas du moins
nos bonnes intentions. Nous pouvons en appeler
à l'autorité de l'Eglise et à une expérience vingt
fois séculaire. Ce qu'elle demande aujourd'hui,
par l'organe de notre évêque, elle l'a toujours
demandé durant les siècles passés. La nature
même des choses l'exige ainsi; de même que
pour les familles et les communes, une paroisse
en prépare une autre !

Ce moment est arrivé. C'est pour cela que
la ville haute demande une paroisse.

La cause était entendue : elle était en même
temps gagnée. L'opposition dut se taire et céder
au mouvement trop prononcé de l'opinion publique. Le 30 Juin 1866 le premier curé, M. Winterer, faisait son installation aux acclamations
d'une population heureuse de saluer en lui son
premier pasteur.

Les prévisions de M. l'abbé Braun ne tardèrent pas à se réaliser. La restauration de l'église St.-Léger fut aussitôt commencée L'incurie et le mauvais goût avaient entièrement défiguré ce monument, l'un des plus beaux du moyen-âge. Les travaux furent conduits avec intelligence et poursuivis avec activité. Le chœur embelli et décoré de vitraux, les nefs inondées de lumière et de clarté, la façade dépouillée des masures qui en masquaient la vue, les tours consolidées, l'édifice était vengé d'un long siècle d'oubli et d'indifférence, et sur le sommet de l'une des trois tours la croix annonça une fois de plus le salut et la paix.

Ce n'est pas sans un légitime orgueil que les habitants de la haute ville conduisent aujourd'hui l'étranger dans leur église. Tout y respire le bon goût et la propreté. Tout récemment encore les murs du chœur se couvraient de fresques et de peintures et présentaient à la pieuse imitation des fidèles les sublimes vertus de leur patron.

M. l'abbé Braun remerciait Dieu de l'heureuse issue de l'entreprise. Les catholiques du Florival avaient leur église et leur pasteur! Depuis long-temps déjà, ils étaient protégés par la croix qui se dresse sur le Schimmelrain dominant toute la vallée. En la plantant sur le Kirchenwust une double pensée avait guidé M. Braun. Il voulait

consacrer le souvenir d'un lieu, dont le paganisme et le christianisme s'étaient disputé la possession et inviter le peuple à venir y méditer le
sens chrétien de la souffrance et du dénûment.

Le chemin de croix est la dévotion populaire
par excellence. La voie douloureuse où le Sauveur succombe sous le fardeau de sa croix;
l'Homme-Dieu livré à la merci de ses bourreaux;
les injures, les insultes, les soufflets, les tortures,
qui accablent la divine victime du Golgotha, le
délaissement de Jésus-Christ sur la croix, sa mort,
toute cette passion enfin parle au cœur du peuple et lui apprend à supporter avec plus de force
et de courage le fardeau de sa vie, la tristesse
de son abandon, les amertumes de sa misère.

M. Braun eut l'heureuse idée de donner un
aliment à la piété populaire, et la bonne inspiration de choisir pour la réaliser l'une des plus
charmantes collines de la vallée. Le Kirchenwust
et son sommet inculte, le Schimmelrain et ses
antiques traditions convenaient admirablement à
une œuvre de ce genre. La colline, sur laquelle
Odin recevait des sacrifices, la colline dédiée à
l'Archange-Michel, vainqueur du dieu des Germains, devait porter le signe de la rédemption
du monde. Tout y invite du reste à la piété et
au recueillement. Le souvenir de nos ancêtres,

qui se sont agenouillés à cet endroit, remue doucement l'âme du pélerin; la vue sur la ville, où
au milieu du bruit des machines, s'agite une population peut-être trop oublieuse de son éternité,
inspire je ne sais quels sentiments de tristesse
et de mélancolie; et, du haut de cette éminence,
qui se dresse aux abords de la cité, la prière
monte vers le ciel plus libre et plus pure.

L'âme religieuse de M. l'abbé Braun aimait à
perpétuer tous les pieux souvenirs. Les légendes
du Florival avaient rendu à ces lieux leur parfum de poésie; le Bölchenglöckchen avait retenti
sur les hauteurs et dans les vallons; le Calvaire
achevait cette œuvre de réhabilitation. Aussi le
Kirchenwust était-il l'une des promenades de prédilection de M. Braun: il y conduisait volontiers
ses amis, et se plaisait à venir souvent prier sur
le Calvaire.

La cité industrielle avec ses usines et ses fabriques comparée à l'ancienne cité avec ses fer-
mes et ses hameaux, Altenroth, Hubenthal, Kre-
yenthal etc., quel sujet de méditation pour une
âme de poëte et pour un cœur de prêtre! L'une
y trouvait une nature transformée contre le gré
de ses aspirations et de son idéal; l'autre y cherchait la simplicité des ancêtres, la foi des aïeux!

Ces souvenirs le suivirent jusque dans son

12

exil. Le Calvaire sera à Paris le lieu de repos de son âme. Il s'y transportera par le cœur et la pensée. Il le voudra embelli, bien entretenu. Plusieurs des lettres écrites de la capitale témoignent de sa touchante affection pour ce lieu. Un ouragan avait abattu la croix: à cette nouvelle il s'émeut et presse aussitôt la restauration. Il entre à ce sujet dans les moindres détails. »Je souscris pour le quart de la dépense jusqu'à concurrence de 250 francs, sans espoir de voir jamais cette croix, ni de revoir ce cher calvaire, où j'ai tant de fois répandu mon âme et mes sueurs.« Puis plus tard: »Vous ne m'avez rien dit de mon cher Calvaire. Est-ce que la grande croix est debout, et les petites croix sont-elles fixées sur leurs stations? Car voici le carême qui s'ouvre, temps de pénitence et de chemins de croix.«

M. Braun ne comptait donc plus revoir son Calvaire! Puisse du moins cette croix perpétuer parmi le peuple le souvenir de cet ami au cœur si dévoué et si aimant!

Non loin de là, près d'une source, au fond d'un vallon solitaire, était la demeure du religieux qui desservait la chapelle. Un monceau de ruines tapissé de lierre et de pervenches et entouré d'un large fossé, le tout envahi par les sapins de la forêt, marque encore la place, où s'élevait la cellule de l'ermite, le Bruderhaus. M. Braun n'oublia pas l'apôtre qui, dans les premiers temps du christianisme, sortait de sa retraite pour aller sur le Schimmelrain célébrer dans la chapelle de St.-Michel les mystères divins. A l'endroit où la tradition place la »cellule du frère«, il éleva une croix et sa main y grava quelques vers rappelant les bienfaits de l'homme de Dieu.

Les touristes et les pélerins qui passent près de là s'agenouillent volontiers près de ce modeste monument pour y réciter une prière. La mémoire du frère se conserve fraîche et pure comme la source qui égaie cette mystérieuse solitude.

Avant de suivre M. l'abbé Braun dans son exil, qu'il nous soit permis de nous reposer un peu près de ce petit tertre où priait autrefois le »Frère«. Un rapprochement entre ce qui fut et ce qui est semble si naturel!

Dans cette vallée, arrosée par les sueurs de l'homme de Dieu, se groupaient naguère des asiles, des hospices, ouverts pour toutes les misères et toutes les infortunes. Qu'y trouve-t-on aujourd'hui? De grandes usines, de grands établissements industriels, de vastes fabriques. Au-delà de cette colline, dans un gracieux vallon, s'éle-

vait naguère un magnifique monastère, retraite
bénie, solitude bien-aimée, de moines et de religieux qui répandaient au loin l'éclat de leur
science et de leurs études. Qu'y trouve-t-on aujourd'hui? Quelques pans de murs crevassés, des
tas de pierres, les restes d'une église, qui seuls
nous consolent de la ruine de ce superbe sanctuaire, où le chant et la prière montaient aux
cieux portés par la main des anges. La nature
a changé et les hommes aussi ... et l'humanité
s'achemine en pleurant à travers un douloureux
présent, vers un avenir inconnu.

Un homme cependant s'est rencontré pour
aller au-devant de cette humanité souffrante. Il
a conservé les antiques traditions de charité et
de fraternité des moines et du clergé; il l'a aimée
en se dévouant, en se donnant.

Depuis longtemps on promet aux classes laborieuses de les conduire à de meilleures destinées, et il ne manque pas de malheureux pour
se laisser séduire par ces vaines et fallacieuses
promesses. On oublie qu'un mot, un seul mot
de l'Evangile contient plus de consolations et de
réalités que toutes les phrases et les discours de
ces hommes qui se disent les amis du peuple.
M. l'abbé Braun n'a pas rêvé ce fantastique idéal;
il n'a pas soupiré après un avenir de chimères

et d'illusions; il a transformé ses rêves et ses désirs en réalités; il a fait de sa fortune »le patrimoine des pauvres et la rançon des âmes.«

Chaque année de sa vie est marquée par un bienfait; il a compris cette noble pensée: »Au milieu de la caducité des choses humaines, l'homme peut toutefois dérober au temps quelque chose de stable et de perpétuel, savoir: ce qu'il donne à Dieu; il rattache ainsi son patrimoine terrestre au patrimoine de Dieu.«

En 1846 il se rend à Paris pour l'œuvre des Allemands: au lieu de parler de la guérison des plaies sociales, il l'a entreprise; il s'est penché vers les pauvres qui étaient abandonnés, les a relevés et portés à Dieu!

En 1848, il fonde son journal populaire le Volksfreund, Ami du peuple! et pendant huit ans, il attaque l'erreur, les préjugés, les abus, l'ignorance et la mauvaise foi; instruit le peuple, moralise l'ouvrier et ne se retire de la lutte que pour courir sur un autre champ de bataille.

En 1852 il ouvre les écoles libres de Guebwiller et appelle dans cette ville les frères de Marie. Durant plus de vingt années, il est au milieu des enfants la vivante expression du dévouement le plus intéressé et de l'amour le plus généreux.

En 1853 il se sent touché de pitié pour les petits travailleurs: il les appelle à lui pour les reposer dans la douce et féconde expansion de l'amitié; il crée les écoles de nuit et prodigue à tous les tendresses de son amour.

En Novembre 1853 il parle en faveur des orphelins, et n'écoutant que les inspirations de sa charité, il recueille ces pauvres abandonnés et leur donne un asile qui, sous la direction des Sœurs de Niederbronn, devient bientôt une grande famille chrétienne. Il est le fondateur et le bienfaiteur de l'orphelinat!

En 1859 il développe les écoles libres et les transforme en collége, toujours plus désireux d'entourer les frères de plus d'estime et de multiplier pour les enfants les moyens de s'instruire. A l'ingratitude, à la perfidie, il a répondu par un nouveau bienfait.

En 1862 il monte sur le Kirchenwust, y plante la Croix et son Calvaire et invite le peuple, le pauvre, l'ouvrier, à venir s'agenouiller sur la pieuse colline pour y apprendre à aimer, à prier, à souffrir.

En 1866 il élève la voix pour demander une seconde paroisse. Il ne consent à se taire, il n'est tranquille que lorsque les nombreuses familles du Florival ont une église et un pasteur pour leur rappeler leurs devoirs et les pousser dans les bras de Dieu.

En 1867 les sœurs de Ribeauvillé entrent dans ses vues et ouvrent à Guebwiller des écoles qui ne laissent rien à désirer.

Est-ce tout? Non. Il fonde et entretient la bibliothèque paroissiale; il songe à créer un cercle catholique d'ouvriers; il consulte ses ressources pour soulager de nouvelles misères et consoler de nouvelles infortunes.

Tout pour le peuple: son Bölchenglöckchen, ses Légendes, son Hausbuch, lui sont dédiés. Armé de la plume, comme d'une épée, il monte la garde à la porte de la vérité et de la justice; il y défend les pauvres, les ouvriers, les enfants. Malheur à qui touche ces faiblesses sacrées! Alors son cœur s'émeut, son âme s'indigne, il frappe pour venger la faiblesse opprimée. Ce furent les seules indignations de sa vie. Nobles indignations que celles qui protègent l'orphelin, vengent l'ouvrier et le travailleur, relèvent et réconfortent les malheureux! S'il fallait tracer le véritable portrait de l'ami du peuple, trouverait-on d'autres lignes que celles qu'on vient d'esquisser?

Qu'il vive donc dans les souvenirs du peuple ce véritable ami du pauvre! Quelques-unes de ses œuvres sont tombées au milieu des ruines de la patrie. *Sunt lacrymæ rerum!* Les autres resteront impérissables. — On lit dans une vieille charte de donation ces mots: »Celui qui érige ou répare un monastère se fabrique une échelle pour monter au ciel.« Nos espérances et nos consolations sont là!

CHAPITRE X.

Hausbuch. — Procès. — Condamnation.

En 1862 M. l'abbé Braun avait publié sous le titre »Hausbuch des katholischen Volksfreund's« une série d'articles, qui avaient paru autrefois dans son journal. L'édition était épuisée; le livre cependant avait conservé toute son actualité. Les mêmes problèmes se posaient, les mêmes questions s'agitaient peut-être avec plus de passion chez les uns et plus de danger pour les autres.

La lutte entre la vérité et l'erreur, entre le bien et le mal, ne date pas d'hier et ne cessera pas demain: elle est immortelle comme le mauvais génie qui l'inspire. Le publiciste chrétien renonce au repos; au milieu du triomphe d'aujourd'hui, il doit craindre la surprise du lendemain.

M. Braun n'avait jamais déposé son épée: sa plume était toujours prête à défendre la religion outragée, à venger la vérité trahie. L'ennemi s'était glissé dans la famille; il avait pénétré dans

.l'école et envahi le sanctuaire. Il ne put assister
froidement à cette invasion toujours plus menaçante; il ne put voir se rouiller les armes dont
il avait fait jusque-là un si noble usage. Le moment lui semblait venu d'engager le combat: seulement il crut devoir mieux préciser les conditions du débat, et démasquer plus ouvertement
la tactique déloyale de ses adversaires.

Une nouvelle édition du Hausbuch fut préparée. L'édition de 1862 n'avait adopté qu'un classement purement chronologique; celle de 1874
fut présentée sous une forme nouvelle. M. Braun
groupa les articles sous trois titres: »Haus und
Feld«, »Pfarrei und Gemeinde«, »Kirche und
Staat.« C'était indiquer nettement le but du livre:
défendre les droits de la famille et de l'Eglise,
revendiquer les libertés inaliénables du chrétien
et du citoyen, demander justice au nom de la
vérité.

La Clochette du Ballon demandait aussi à retentir, comme la cloche d'alarme à l'approche de
l'ennemi. Elle avait chanté dans la langue de
la poésie ce que le Volksfreund avait écrit dans
la langue du peuple: la fusion des deux était
toute naturelle. M. Braun la fit pour offrir dans
un seul et même volume les idées et les sentiments du poëte et du journaliste.

Le titre resta le même: c'était toujours le même livre qui, pour la troisième fois, allait frapper à la porte de lecteurs déjà connus et renouer avec eux les liens d'une vieille amitié. Il parut au commencement de l'année 1874 et fut tiré à deux mille exemplaires. Il était déjà entré dans le commerce et marchait à un succès bien mérité, quand le gouvernement allemand ordonna la saisie de l'ouvrage. En même temps son auteur était poursuivi et traduit devant la justice.

Quelles étaient les raisons qui provoquaient tant de rigueur et tant de sévérité? Voici ce qu'en pense M. Ch. Grad, député au Reichstag: »J'ai sous les yeux un de ces livres condamnés par l'administration: c'est le »Katholisches Hausbuch« de l'abbé Braun. Avec la meilleure volonté du monde, je ne puis y découvrir une pensée subversive, susceptible de compromettre l'ordre établi ou la sécurité de l'Etat.« Et puis il se demande: »Dès lors pourquoi supprimer cet écrit dont le seul tort est de porter la signature d'un prêtre catholique?« [1])

Ce n'était pas l'opinion de la justice allemande: elle releva dans le livre plus de vingt

---

[1]) Ch. Grad, Considérations sur les finances etc. p. 175.

griefs, et l'auteur reçut ordre de comparaître devant le juge d'instruction pour s'expliquer sur les passages incriminés. M. Braun donna ces explications par écrit et chargea un homme de confiance de les présenter en son nom. Il exprimait son étonnement de se voir poursuivi pour un livre qui avait déjà paru tout entier précédemment et écartait ainsi toute idée d'hostilité préméditée. La lettre fut présentée le 19 Août. Le juge d'instruction ne goûta pas les raisons qui y étaient développées. Il lui répondit qu'il n'avait pas à rechercher si le livre nouveau correspondait à l'ancien; le jour même il invitait M. l'abbé Braun à venir dans son cabinet le samedi suivant.

M. Braun pensa qu'on en voulait plus à sa personne qu'à son livre. Il songea donc à donner suite à une résolution, à laquelle il s'était arrêté quelques jours auparavant: se soustraire à la poursuite et à la condamnation par un exil volontaire.

C'était une résolution extrême: il ne se le cachait point. Il avait à combattre ses propres répugnances et des sollicitations qui venaient de plus haut pour l'engager à rester à son poste de combat. On le priait de rester ferme et inébranlable, de défendre une cause qui était la cause de l'Alsace catholique; on le conjurait de ne pas préférer le repos à la lutte, et on insinuait même que peut-être la pusillanimité et la peur avaient inspiré sa détermination. M. Braun n'avait jamais connu la peur: s'il se retirait d'un champ de bataille, c'était pour ménager ses forces et pour servir plus longtemps une cause à laquelle il avait voué sa vie tout entière !

L'issue du procès montra qu'il avait deviné juste et que ses appréhensions n'étaient que trop fondées.

Le 3 Septembre il reçut assignation d'avoir à comparaître, à la requète du Procureur impérial, devant le tribunal régional de Colmar. Il était inculpé d'avoir par son livre, intitulé »Katholisches Hausbuch« excité au mépris contre les institutions publiques, et d'avoir outragé la religion évangélique protestante.

La cause parut en effet le 7 Septembre. Une foule nombreuse et sympathique se pressait dans la salle d'audience, avide de suivre un débat qui allait soulever des questions pleines d'actualité.

Le défenseur de M. Braun avait qualifié le procès, un procès de tendances. Le ministère public fit en effet surtout ressortir la tendance du livre, qui, selon lui, n'avait d'autre but que de surexciter parmi les catholiques ce parti que

J'on appelle l'ultramontanisme, et d'entretenir les malheureuses divisions qui déchirent le pays.

Le jugement fut rendu le même jour: M. Braun fut condamné. Voici un résumé de ce jugement:

»Le tribunal considérant que Ch. Braun, auteur d'un livre intitulé Katholischer Volksfreund, dans la critique qu'il y fait des institutions publiques, a écrit notamment dans les chapitres: »L'école primaire (p. 232—247); la liberté d'enseignement (p. 398—402)« ce qui suit:

»Que la loi autorisait le fabricant à envoyer à l'école de la fabrique des enfants soumis à l'enseignement obligatoire, et à les exploiter ainsi à son profit. (p. 242).

»Que les écoles supérieures et le collège étaient ouverts à tous ceux qui se présentaient et payaient: (p. 242).

»Que non-seulement on cherchait à proscrire les écoles chrétiennes, mais aussi les instituteurs chrétiens. (p. 244).

»Qu'on se proposait de remplacer petit-à-petit les maîtres par des instituteurs formés suivant l'esprit du siècle, et les maîtresses par certaines demoiselles. (p. 245).

»Qu'on enlevait à l'Eglise catholique la liberté d'enseigner et que les caisses de l'Etat et des communes étaient vidées par un insatiable »mandarinisme«.

»Que les catholiques étaient obligés de payer les frais d'un enseignement dirigé contre eux. (p. 400).

»Que tout ce qui touchait au christianisme restait étranger au programme de l'enseignement. (p. 401)

»Considérant que de cet ensemble de citations il résulte clairement que ces passages s'appliquent à notre temps et aux institutions en usage; que l'auteur cherche à présenter ces institutions sous un jour odieux; que l'auteur comme prêtre et comme professeur ecclésiastique devait savoir qu'il avançait et répandait des faits dénaturés ou imaginaires.

»Considérant en outre que l'auteur dans les chapitres »Bibelfreund und Bibelnarr« (p. 306—320) attaque l'église évangélique, puisqu'on y lit les passages suivants:

»Le protestantisme cherche donc lui-même à corrompre l'Ecriture-sainte, ou du moins à mettre le lecteur dans une situation telle, que même la pure parole de Dieu devienne un poison pour son âme. (p. 308).

»Les protestants devaient en arriver à cette absurdité... (p. 311).

»Non! vous n'avez pas de bible; car cette
bible que vous nous avez volée, vous l'avez cor-
rompue, déchirée et traînée dans la boue. (p. 317).

»Laissez les dangers et les peines aux missionnaires catholiques, et quand ils auront fécondé
un pays par leurs sueurs et leur sang, contentez-
vous alors d'y jeter votre ivraie!

»Que dans ces passages et dans beaucoup
d'autres encore, l'inculpé outrage publiquement
l'église évangélique.

»Considérant que dans l'estimation de la peine
à appliquer, le grand nombre de passages incriminés, le style dur et haineux du livre, comme
aussi la position élevée et la haute culture de
l'inculpé, doivent entrer en considération...

»Pour ces raisons, le tribunal reconnaissant
que ... condamne Braun en contumace à six
mois de prison.

Le ministère public n'avait demandé qu'un
mois. Le tribunal trouva que la peine n'était pas
assez forte: on voulait prévenir, disait-on, le retour de semblables attaques. En même temps
le tribunal ordonna la saisie de l'ouvrage et la
destruction des planches.

Cette sévérité, inusitée dans la procédure judiciaire, avait de quoi surprendre les amis de M.
l'abbé Braun, qui avait osé espérer un acquitte-

ment. Ceux au contraire qui voyaient en lui le
»grand agitateur de l'Alsace«, le feldmarschall
du clergé, comme l'appelait un magistrat allemand, ne purent taire leur joie. La presse anti-
catholique par l'organe de la »Neue-Mülhauser
Zeitung«, chanta victoire. »La presse ultramon-
taine, écrivait-on, ne pourra se consoler de cette
perte qui est vraiment irréparable. Il faut l'a-
vouer, rarement le glaive de la justice a frappé
plus juste.« [1]

Celui qui fut le moins surpris de cette condamnation fut le condamné lui-même. Quand
cette sentence fut rendue, il se trouvait à Paris,
au collége Stanislas, où les frères de Marie,
lui avaient offert une généreuse hospitalité. Il
avait prévu l'issue du procès sans se faire aucune illusion. Il se contenta d'écrire: »Je ne
regrette nullement les sacrifices et les ennuis que
cette publication m'a causés. Je m'y sentais
poussé par une puissance supérieure: en tout cas

---

[1] N. Mülhauser Z. 10 Sept. 1874. Le Courrier du B.-R.
reproduisit ces lignes et écrivit le lendemain 11 Sept.: „Le
principal agitateur hostile à l'Allemagne, l'abbé Braun à Guebwiller a été condamné à (3 ans) de prison, pour avoir publié
un livre intitulé: l'Ami du Peuple, et a jugé à propos de
prendre la fuite.

13

il me restera toujours la conscience de mes bonnes intentions.«

Et cependant il ne s'était pas caché qu'il avait quitté peut-être pour toujours sa chère Alsace, la patrie de son cœur et de son intelligence. »Refoulant au fond de mon cœur tous les sentiments de la nature, j'ai dû partir sans faire mes adieux ni aux vivants ni aux morts; et pourtant je ne pouvais me le dissimuler que c'était pour longtemps, pour toujours peut-être sur cette terre d'exil. Mais la vérité était à ce prix, et c'était un sacrifice bien léger comparé à ce que souffrent tant d'autres en Suisse et en Allemagne.« [1]

Ainsi le premier sentiment de ce vaillant défenseur de la vérité est de s'estimer heureux de souffrir pour la cause de la justice! Pas un mot de récrimination! pas une plainte! pas une parole d'aigreur ou de fiel! Le regret de n'avoir pu embrasser sa famille, le regret de n'avoir pu s'agenouiller une dernière fois sur la tombe de ceux qu'il aimait! Voilà la seule plainte qui s'échappe de son cœur!

---

[1] Lettre du 5 Sept. 1874.

CHAPITRE XI.

**Séjour à Paris. — Oeuvre des apprentis-orphe-
lins. — Poésies de L. Roos. — Notre-Dame des
Ermites. — Mort. — Funérailles.**

En quittant l'Alsace et le Florival, M. l'abbé
Braun pouvait se dire:

> Ma muse à regret exilée
> S'éloigne triste désolée
> Du séjour qu'elle avait choisi.

Il alla se fixer à Paris. Il y chercha d'abord ce
qu'il avait toujours aimé: l'isolement, la belle
nature, les études. Il se retira dans l'un des
plus beaux faubourgs de la capitale, dans Paris-
Auteuil. Il s'était décidé, après quelque hésitation, »à prendre le parti le plus sage, de rester
à Auteuil, avec le dernier reste de mon ardeur
qui s'éteint et de ma vue qui s'affaiblit.« [1]

Les premières impressions ne furent pas em-
preintes de trop de tristesse. Les pénibles sou-

---

[1] Lettre du 18 Oct. 1875.

venirs des derniers jours, la douleur de la séparation affligeaient sans doute son âme, mais sa
foi et sa piété étaient trop habituées à supporter
les épreuves avec la généreuse fermeté du prêtre
et du chrétien, pour se laisser aller au découra-
gement. Il trouva du reste bien vite son orientation dans ce Paris, où tous, l'artiste comme
l'homme de lettres, rencontrent un vaste champ
d'exploration. Il hésita au commencement sur le
genre de travail à embrasser. Plusieurs publicistes lui demandaient le concours de sa plume
pour le journalisme; les frères de Marie désiraient
l'attacher à leur œuvre dans une de leurs maisons d'éducation; quelques amis lui offraient des
postes plus avantageux; d'autres lui conseillaient
de se mettre en rapport avec les sommités littéraires de Paris...

M. Braun préféra garder sa liberté, ou pour
mieux dire, il préféra suivre la pente naturelle
de son esprit et de son cœur. Pourquoi sortir
de l'obscurité d'une vie, qui s'était écoulée pai-
sible au milieu des nobles occupations de l'esprit? Pourquoi renoncer à cette modestie qui était
un besoin de son cœur? Pourquoi rechercher à
Paris ce qu'il avait toujours fui ailleurs: le bruit,
l'éclat, la gloire? Il crut son œuvre inachevée:
il avait reçu de Dieu les plus beaux dons de

l'intelligence; il avait consacré trente années à réaliser les espérances de sa jeunesse; il avait chanté Dieu et la nature en poëte chrétien et populaire; il avait vengé l'Eglise et la vérité avec une plume franchement catholique; ne devait-il pas à l'une et à l'autre de populariser ce que le publiciste avait écrit, ce que le poëte avait chanté?

Il le jugea ainsi. Auteuil lui parut favorable à ses desseins. Là, au milieu des parcs et des villas, il y avait une maison de charité et une imprimerie. M. l'abbé Roussel y avait fondé l'œuvre de la première communion et des apprentis-orphelins. M. Braun y fixa son séjour et accepta une petite aumônerie. Les longues avenues, les tilleuls séculaires du boulevard, le chant des oiseaux, la douce et belle verdure, les fleurs, le rapprochaient de la nature. Les pauvres enfants, les apprentis-orphelins, le mettaient en contact avec la jeunesse. Les presses de M. Roussel lui permettraient de rééditer ses œuvres et de rendre service à un homme de bien.

Bientôt parut la troisième édition des ›Clochettes du Ballon‹. Les premiers exemplaires entrèrent à l'école Bossuet. M. Braun, grâce à un ami, y avait acquis droit de cité. En même temps, la Société de St. François de Sales lui

offrait d'imprimer à ses frais son Hausbuch et
la Société de St. Michel, ses Légendes du Florival. Allait-il enfin voir ses travaux littéraires
estimés, goûtés, appréciés à leur juste valeur?
M. Braun était en droit de l'espérer. Cependant
il cherchait ses forces et ses consolations dans
une sphère beaucoup plus élevée. Il lisait dans
ses moments de loisir les études de M. Auguste
Nicolas sur Jésus-Christ. A la lueur de ces vérités exposées dans un beau livre, »les autres
questions du jour lui semblaient petites et mesquines, et les misères de ce pauvre monde lui
devenaient plus douces et faciles à porter.«

Puis il tâchait d'accommoder ces saintes et
sublimes vérités à l'intelligence des pauvres et
des petits. Il se faisait catéchiste et baptisait à
Auteuil trois orphelins, qu'il avait préparés à recevoir le même jour la grâce de la régénération
et le bienfait de la première communion.

Au milieu de ces enfants, M. l'abbé Braun se
reportait instinctivement aux élèves qu'il avait
laissés en Alsace. Si l'esprit était plus vif, plus
pétillant, le cœur était le même. On l'aimait à
Paris comme on l'aimait à Guebwiller, avec la
même tendresse, avec le même dévouement. Il
se plaisait surtout à leur expliquer les devoirs
envers les parents, la sanctification du dimanche,.

le respect des églises. Le milieu avait changé, il devait naturellement changer le plan et la méthode de ses instructions. Sa parole avait toujours la même onction, mais elle avait quelque chose de particulièrement persuasif quand, pour démontrer la nécessité de la confession, elle la représentait comme un soutien, une consolation, un besoin du cœur.

Aussi les enfants arrivaient-ils à lui avec la confiance naïve et ingénue de leur âge. Une fois qu'ils l'avaient choisi pour confesseur, ils ne le quittaient plus et venaient encore après leur première communion chercher conseil et direction auprès de lui. A l'approche des fêtes et des dimanches, il se sentait heureusement fatigué, comme il le disait lui-même. L'année du jubilé fut pour lui et pour eux une année exceptionnelle. Ses instructions, ses avis, ses prières, les avaient admirablement disposés à recevoir la grande grâce. Tous en ont conservé le plus touchant souvenir : ce souvenir fut si vif et si profond, que lorsqu'ils apprirent la nouvelle de sa mort, ils s'empressèrent de l'invoquer, sûrs qu'un prêtre, qui leur avait fait tant de bien, devait être au ciel.

Des amis avaient invité M. l'abbé Braun à reprendre sa lyre. Mais comment chanter encore ?

> A Babylone près des fleuves
> Assis dans la captivité
> Nous suspendions nos harpes veuves
> Du souffle de la liberté.
>
> Du souvenir de la patrie
> Plus accablés que de nos fers
> Sur tes malheurs Sion chérie
> Nous répandions des pleurs amers!

Malgré ses regrets et ses douleurs, le poëte ne put étouffer son inspiration. Sa muse devint française; elle composa la »Marseillaise du Zouave pontifical«, traduisit »la croix d'honneur de grand papa« et s'essaya dans d'autres petites pièces de ce genre. Si l'on n'y rencontre pas la même facilité, la même limpidité que dans les poésies allemandes, on ne saurait méconnaître que cette muse, mieux exercée, aurait réussi à faire passer dans la langue de Racine les pensées et les sentiments exprimés avec un si rare talent dans les »Clochettes du Ballon«. On nous saura gré de reproduire ici la »Marseillaise du Zouave pontifical« :

> Le tambour bat, le clairon sonne.
> Dieu! quel orage au loin mugit!
> C'est le canon qui gronde et tonne,
> La mitrailleuse qui rugit.
> Entendez-vous?... Voix de la France,

La reine au front cicatrisé:
»Enfants, mon glaive s'est brisé...
Ah! rendez-moi ma bonne lance!«

O France, Dieu le veut! Dieu roi du peuple franc.
Qu'il règne et qu'il commande. A lui tout notre sang!

Reprends ta lance et la retrempe
Avec Clovis aux fonts sacrés,
Et sur ton *cœur* pressant la hampe,
Dis: Par ce signe vous vaincrez!
Et Jeanne, ô toi, noble guerrière,
Doux ange si terrible au feu,
Sois notre guide. Au jour de Dieu
Nous combattrons sous ta bannière!

O France, Dieu le veut! Dieu roi du peuple franc.
Qu'il règne et qu'il commande. A lui tout notre sang!

Ainsi marchait à la victoire,
Broyant et Saxons et Lombards,
Ce roi qui par le Roi de gloire
Vit couronner ses étendards.
Réveille, ô France, la Joyeuse
De Charlemagne, et lève-toi!
Oui, Dieu le veut! Et c'est la foi
Qui te rendra victorieuse.

O France, Dieu le veut! Dieu roi du peuple franc.
Qu'il règne et qu'il commande. A lui tout notre sang!

Le roi du jour monte et rayonne,
Jetant au fleuve son manteau.

La croix au front de ta couronne,
Un cœur aux plis de ton drapeau !
Et comme un astre au bord de l'onde,
Ta gloire, ô France, brillera,
Et l'oriflamme flottera,
Nouvelle aurore, sur le monde.

O France, Dieu le veut ! Dieu roi du peuple franc.
Qu'il règne et qu'il commande. A lui tout notre sang !

Du Christ un jour le cœur immense
S'ouvrit, et tout son sang coula.
Ce fut l'Eglise, et puis la France !
Et Babylone s'écroula.
O Cœur sacré qui, sur la terre,
Des mères consolas le cœur,
Ah ! vois la France en sa douleur,
Et rends ses fils à notre mère !

O France, Dieu le veut ! Dieu roi du peuple franc.
Qu'il règne et qu'il commande. A lui tout notre sang !

Depuis longtemps M. Braun songeait à une œuvre de réhabilitation. La poésie est fille du ciel, elle n'est pas de ce monde. Les poëtes seuls sont initiés à la langue des dieux, seuls ils ont le privilége de la comprendre. Comme l'alouette dans la forêt solitaire, le poëte doit se résigner à chanter pour lui seul et pour son Créateur ! Heureux si de temps en temps une âme sympa-

thique éprouve les mêmes sentiments; si un chantre répète les échos de sa voix![1])

M. Braun voulut être cette âme et ce chantre
pour un poëte alsacien, M. l'abbé Roos, ancien
curé de Munster. Le poëte était mort depuis
plus de vingt ans; ses poésies n'avaient jamais
vu le jour. Quelques amis se rappelaient encore
avec bonheur le charme de cette muse religieuse:
mais le silence du tombeau avait couvert les
échos de sa voix, et bientôt peut-être les feuilles
qui avaient reçu les confidences du poëte allaient
être emportées par le vent de l'oubli.

M. Braun composait sa »Clochette du Ballon«,
quand les poésies de Roos lui furent communi-
quées. M. l'abbé Meyblum, actuellement curé de
Colmar, avait vécu dans l'intimité du défunt et
possédait le trésor poétique. Il s'empressa de le
confier à M. l'abbé Braun, le priant de tirer de
l'oubli une gloire alsacienne, dont le nom et les
œuvres étaient également inconnus. Quelques
années se passèrent: Roos cependant n'était pas
négligé. Il avait un admirateur enthousiaste; ses
vers avaient passé tout entiers dans l'esprit et le

---

[1] P. XIV, Introduction Rosensträusse — Lieder und Gedichte von Lorenzo Roos — chez A. Sutter à Rixheim.

cœur du chantre du Florival, qui se les répétait
avec l'affection d'un ami de vieille date. M. Braun
les avait emportés à Paris avec la pensée de les
publier le plus tôt possible.

Ce fut une des consolations de son exil. Il
réunit ces poésies en trois bouquets et les envoya
à sa patrie. »Ces bouquets de roses, écrivait-il,
seront mes adieux à l'Alsace et à la langue allemande. Lebewohl!« [1])

C'étaient des bouquets de la plus belle fac-
ture, des roses du plus délicieux parfum. Roos
en effet est un maître dans la langue allemande.
Sa diction pure, élégante, classique, dénote une
plume familiarisée avec le style des grands auteurs. Ses vers faciles, naturels, gracieux, cou-
lent d'une source toujours fraîche et limpide. Sa
poésie, pleine de sentiments, respire je ne sais
quoi de triste et de mélancolique: image de l'âme
du poëte qui se sentait mourir chaque année à
la chute des feuilles!

Sa nature délicate et sensible se plaisait au
milieu des vallons et sur les montagnes; son
cœur affectueux se retrempait au contact de l'amitié; son âme pieuse aimait à redire en vers les

---

[1]) Lettre du 18 Avril 1876.

touchantes élégies de nos livres saints. Parfois, quand la douleur lui laissait un moment de répit, cette muse avait ses moments de douce gaieté. La »Hermannade«, le Lutrin de Roos, avec ses grands vers classiques, est un poëme héroi-comique qu'on relira dix fois avec le même plaisir.

Roos avait cultivé la poésie pour charmer ses loisirs et calmer ses douleurs. Compagne dans son isolement, elle lui souriait dans ses moments de bonheur, pour lui rester fidèle à l'heure des découragements. Elle était pour lui une source intarissable de nobles jouissances. »Pourquoi, s'est demandé M. Braun en nous envoyant ces bouquets, pourquoi tout homme, qui a du goût pour les lettres, ne chercherait-il pas dans la poésie le repos et le délassement.

Lui cependant semblait ne plus vouloir que se ressouvenir des suaves émotions qu'elle lui avait procurées autrefois. »Nous avons eu le bonheur, écrivait-il à l'un de ses amis, de chanter et de nous plaire au chant. Concevez-vous le bonheur autrement? Et c'est pourtant chose si peu commune parmi les heureux de ce monde! Et il ajoutait: Si après cela le bon Dieu veut bien me faire encore des loisirs quelque part, car ici cela devient de plus en plus difficile, je consacrerai le reste de mon ardeur qui s'éteint à lui

faire de la prose, mais de la prose exclusivement
française.«

En tirant de l'oubli une figure si digne d'être
connue, M. Braun a ajouté un lustre de plus à
la gloire littéraire de l'Alsace. Mais en la retra-
çant, le poëte et le citoyen se sont sentis émus.
Comment ne pas se rappeler la patrie absente,
ce pays »le plus beau du monde.«

> Jérusalem si je t'oublie
> Que ma droite sèche à jamais
> Que ma langue à jamais se lie
> Muette et morte à mon palais!

Le désir de s'en rapprocher se réveilla dans
son âme. Paris ne lui offrait plus du reste les
deux choses qu'il aimait le plus, les loisirs et la
solitude. »Croiriez-vous, écrivait-il, que je ne puis
regarder dehors sans que ma pensée n'aille chercher hors de là, assez loin de Paris, un refuge
plus tranquille encore et avec plus de loisirs pour
ce qui me reste de vie et de vue.« [1]) Il allait
peut-être quitter la capitale pour se fixer à Ris-
Orangis, où les frères de Marie venaient d'acheter une belle maison de campagne, quand il se
décida à se rendre en Suisse.

---

[1]) Lettre du 11 Janvier 1876.

Il travaillait depuis quelque temps à »sa petite revanche« à une refonte de son Hausbuch :
la maison Benziger d'Einsiedeln demandait à en
faire l'acquisition pour l'éditer à l'usage des Allemands des deux mondes. Le livre ne devait
plus être alsacien que par son origine. M. Braun
y vit une affaire de conscience plutôt qu'une question d'honneur ou d'amour-propre. Sa décision
fut prise aussitôt : il irait en Suisse pour y sur-
veiller les travaux d'impression. C'était en Novembre 1876.

L'Alsace! il pourrait la voir de loin, comme
Moïse la Terre Promise! »Ce qui m'attire encore
du côté des Alpes, c'est qu'elles confinent par le
Jura aux Vosges, et à travers les brumes d'hiver,
me sourit déjà de loin la perspective d'un rendez-vous de famille, au bord de quelque lac bleu,
ou dans quelque chalet rustique, au bruit de la
musique errante des clochettes pastorales.«

Einsiedeln et la Suisse ne le rapprochaient
pas seulement de l'Alsace par la distance, mais
encore par les analogies. L'abbaye et son cloître,
les bénédictins et leur bibliothèque, l'église et le
chapitre, lui rappelaient l'antique abbaye de Murbach. Les Alpes avec leurs glaciers et leurs
sommets inaccessibles lui représentaient »notre
Alsace primitive, avec son grand lac, et ses pics

aux flancs couverts de neiges, avant que le Créateur, comme dit le prophète, eut usé toutes ces
hauteurs sous les pas de son éternité. *Contriti*
sunt montes et incurvati sunt colles ab itineribus
æternitatis ejus.«

Cependant il ne voulait pas y dresser sa tente.
»Figurez-vous, écrivait-il, que je suis encore à
chercher la solitude et le silence au milieu de
cette silencieuse et sauvage nature. »*O beata so-*
litudo, o beatitudo sola!« Il songeait à Lucerne,
où il trouverait »un beau site, des souvenirs et
des amis«, à Fribourg, où il trouverait »une ville
française.«

Une retraite tranquille lui fut assurée dans
un couvent de bénédictines, dit Kloster-Au, à
une demi-lieue d'Einsiedeln. Il s'y retira au mois
de janvier 1877 pour y corriger les épreuves de
son Hausbuch, dont M. Marius Benziger avait
commencé l'impression.

Dieu et la nature lui rendaient ce séjour agréable. L'Adoration perpétuelle était établie dans
la petite communauté. Jésus-Christ recevait nuit
et jour les adorations et les hommages de ses
pieuses servantes. La pauvreté des religieuses
le touchait, leur piété l'édifiait. »Il y a quelque
temps, écrivait-il, notre petit couvent perdait deux
religieuses à deux jours d'intervalle. Lorsque

l'une d'elles eut appris la mort de l'autre, elle
en fut bien chagrinée; mais savez-vous pourquoi?
C'est parce qu'elle comptait partir la première!
Voilà aussi de la philosophie.«

La fenêtre de sa chambre donnait sur la montagne. Une colline boisée, des sommets couron-
nés de neiges, lui offraient à toute heure un gracieux paysage. Tout lui souriait; la gaieté lui
revenait avec la santé, la belle saison allait bientôt lui permettre de parcourir l'Alpthal. Pour
lui, qui disait que la nature est belle partout à
qui sait la regarder, la Suisse avec sa flore et sa
faune alpestres devenait un livre nouveau, plein
d'intérêt et de curiosité. Ce livre étudié avec la
foi du chrétien, la science du géologue, l'enthousiasme du poëte, lui rappellerait un autre livre,
dont il avait tourné tous les feuillets, et lui par-
lerait souvent des chères montagnes de son bien-
aimé vallon.

M. Braun salua avec bonheur les premiers
rayons du soleil printannier. Il s'affectionnait
d'autant plus à ces lieux, que les lieux semblaient
s'attacher à lui. On commençait à le connaître.
Il avait rencontré des cœurs sympathiques, qui
se sentaient attirés à lui par la piété, la modestie,
la bonté de son âme. Le confesseur du couvent,
le R. P. Athanasius Tschopp, lui avait voué dès

14

le commencement une profonde amitié, qu'il lui
continue aujourd'hui au-delà de la tombe.

Mais déjà il songe à graver plus profondément le nom de Dieu sur ces roches nues et sauvages qui limitent son horizon, et dans la sombre profondeur des forèts, qui mugissent sous le
souffle des vents. Il se rappelle le Florival et
son Calvaire, la croix et ses rayons d'espérance,
et le regard de sa foi cherche au milieu de cette
nature, nouvelle pour lui, un endroit pour y dresser la croix du Golgotha et les mystères de la
passion! Il crut avoir trouvé un lieu favorable
pour réaliser ses pieux désirs. Une colline boisée
s'élève non loin du couvent: c'est là que son cœur
place son Calvaire. Il dessine lui-même le tracé
des chemins et indique les emplacements où de-
vront s'élever cinq stations représentant les mystères douloureux. Et comme s'il avait craint de
ne pouvoir exécuter les plans que sa main venait
de tracer, il consigne ses volontés dans une sorte
de testament.

Avait-il le pressentiment de sa fin prochaine,
lui qui avait écrit: »Dans notre famille on n'est
pas malade, on meurt vite!« On pourrait le croire
d'après ce document. Dieu l'appela à lui pour
célébrer dans la joie du ciel les mystères glorieux.

Un ami, venu de Schwitz, lui avait proposé une excursion dans les montagnes. C'était le 20 juin 1877. On partit de grand matin. La matinée était fraîche; mais le soleil, qui se levait, promettait une de ces journées d'été si belles et si riantes dans cette partie de la Suisse. M. l'abbé Braun était radieux: tout était nouveau pour lui dans cette nature qu'il voyait pour la première fois. Il avait de plus un compagnon qui le rendait attentif à tout ce qui pouvait intéresser un ami de la science et de la belle nature. Il rentra le soir, rempli de bonnes impressions, mais accablé de fatigues et avec le germe de la maladie qui, trois jours après, devait le ravir de ce monde.

Le lendemain, il célébra la messe comme d'ordinaire, mais éprouva durant toute la journée un sensible malaise. La maladie débuta le 22 au matin par une crise terrible, par de violentes crampes d'estomac. Le médecin appelé en toute hâte manifesta aussitôt les plus vives inquiétudes. M. l'abbé Braun fit spontanément une confession générale de sa vie tout entière: il ne pensait pas encore à mourir, mais il voulait être prêt pour le moment de Dieu. Un mieux sensible se produisit: chacun conçut de l'espoir. La journée du 23 fut encore meilleure; le malade se croyait

guéri, et comme on lui proposait de communier
en viatique. »Oh! s'écria-t-il, demain je célébre-
rai le saint sacrifice, si mes forces me le per-
mettent.« Vers minuit il voulut congédier la sœur
qui veillait auprès de lui, la priant d'aller se reposer. »Je me sens très-bien, disait-il, j'espère
dormir un peu.« Hélas! deux heures après il
dormait de l'éternel sommeil. Une dernière crise,
que rien ne faisait prévoir, l'emportait vers deux
heures du matin.

Il mourut ainsi sur une terre d'exil, loin de
sa famille, loin de ses amis! Mais depuis longtemps sa patrie était au ciel; depuis longtemps
il avait fixé le regard de son âme sur Dieu, le
seul ami du lendemain! Et puis, n'était-il pas
près d'une mère qu'il avait toujours aimée? La
superbe coupole de Notre-Dame des Ermites se
découpait majestueusement dans le ciel, et sous
cette coupole, la bonne Vierge attendait, prête à
le recevoir, l'enfant qui avait chanté ses gloires
et ses vertus. M. Braun fit un pas vers elle;
son âme s'illumina d'espérance et d'amour, et en
même temps la mère et le fils s'élançaient par
les routes de l'infini vers le pays natal du chrétien, vers le ciel. L'ange de Dieu avait délié les
faibles liens qui le retenaient encore à la terre!

C'était le 24 juin, jour où l'Eglise honore la Nativité de St. Jean-Baptiste.

Cette mort si subite et si inattendue plongea toute la communauté dans une profonde tristesse. Ce n'était pas un étranger, c'était un frère que l'on venait de perdre. Durant trente jours les religieuses récitèrent pour lui l'office des morts; des messes de requiem furent chantées pour le repos de son âme, et pour perpétuer son souvenir dans une maison, où il n'avait fait en quelque sorte que passer, on fonda pour lui un anniversaire dans la chapelle du couvent. Bienheureux ceux qui meurent dans le Seigneur!

Le surlendemain le journal d'Einsiedeln, encadré de noir, annonça en termes émus la mort de M. l'abbé Braun. Plusieurs journaux catholiques de France et d'Allemagne se firent l'écho de cette triste nouvelle. Seul le journal de Guebwiller n'eut pas une parole de regret ou de sympathie pour l'un de ses plus nobles enfants!

En Alsace et surtout dans la vallée de Guebwiller il s'éleva un immense cri de douleur! C'était assez pour venger sa mémoire. Tout le monde fut soulagé quand on apprit qu'on allait du moins posséder les restes de celui qui avait emporté dans son exil l'estime et les regrets de tous.

Le 27 Juin le corps de M. l'abbé Braun quit-

tait Einsiedeln pour rentrer dans sa patrie. Cette
terre d'exil lui avait offert une bienveillante hospitalité; elle le pleura comme l'un de ses citoyens
et l'accompagna de ses larmes jusqu'au moment
où des mains amies recueillirent ce précieux dépôt. Le Kloster-Au, le couvent de bénédictins
d'Einsiedeln, les élèves et les professeurs du collége, le clergé de la ville, tous vinrent rendre un
dernier hommage à la mémoire de M. l'abbé
Braun. Et, détail touchant à rappeler pour un
homme qui a tant aimé la jeunesse, ce furent les
élèves du collége d'Einsiedeln qui entonnèrent,
au moment du départ, le chant du suprème adieu
et le cantique des immortelles espérances!

La salle du chapitre de l'église collégiale de
Guebwiller fut transformée en chapelle ardente.
Le corps de M. l'abbé Braun y fut déposé, et il
se fit aussitôt, sans que personne n'en eut donné
l'idée, une garde d'honneur autour du catafalque.
Les larmes coulaient sur tous les visages, la
tristesse et la douleur étaient dans toutes les
âmes. Les uns pleuraient l'ami fidèle, les autres
le maître dévoué, le bienfaiteur insigne; tous re-
grettaient le prêtre catholique, l'homme de Dieu,
l'ami du pauvre et du peuple.

Le lendemain eurent lieu les funérailles. Elles
furent ce qu'elles devaient être, magnifiques! La

famille du défunt, le clergé des environs, les amis, les ouvriers, le peuple, se disputaient l'honneur de conduire le deuil. Il n'y manqua ni de douleurs, ni d'hommages. Des voix respectées exprimèrent éloquemment les regrets de l'Eglise et de la patrie. M. Winterer, curé de Mulhouse, parla au nom du clergé et de l'Eglise: il retraça la carrière sacerdotale de M. l'abbé Braun, ses luttes, ses travaux, ses épreuves. M. Guerber, député de Guebwiller, parla au nom de l'Alsace catholique et célébra en quelques paroles vivement senties les vertus de l'un de ses plus illustres citoyens. M. l'abbé Brett, au nom des anciens élèves, rendit un dernier hommage à celui qui leur avait ouvert le chemin de la vie.

L'Eglise, la patrie, avaient déposé le tribut de reconnaissance sur la tombe de l'homme qui avait servi l'une sans ambition et sans orgueil et aimé l'autre sans faiblesse. On y avait rappelé ce que le prêtre, le citoyen, l'ami, avaient surpris de sa charité, de son patriotisme, de son dévouement. Plus heureux que nous, les témoins invisibles de sa vie avaient déjà présenté à Dieu ce que sa modestie avait caché aux hommes.

Ainsi a vécu, ainsi est mort ce poëte chrétien, cet ami du peuple, ce prêtre catholique, cet intrépide défenseur de la vérité. Il était du nombre

de ces belles âmes, qu'on voudrait retenir ici-bas
pour l'honneur et pour l'instruction des hommes:
mais il était aussi de celles dont le ciel aime à
se recruter!

Il ne nous reste rien à faire pour la mémoire
de M. l'abbé Braun que de recueillir de lui une
dernière leçon. Dans un siècle d'égoïsme, d'ambition, de lâcheté, il a conservé la charité qui ne
s'épuise point, la modestie qui ne se trahit pas,
la fermeté qui ne faiblit jamais. Il a aimé le
peuple avec la passion de l'apôtre; il a servi
l'Eglise avec l'humble soumission du prêtre catholique et l'amour d'un fils bien-aimé; il a défendu la vérité avec l'énergique accent du chrétien et du citoyen. Nous saurons conserver ces
traditions et ces vertus.

M. l'abbé Braun nous a quittés, nous ne l'a-
vons pas perdu. Il restera au milieu de nous
pour l'Eglise et la patrie, car ses œuvres sont là
scellées de son nom! Il restera au milieu de nous
pour sa famille, qu'il aimait si tendrement, pour
sa ville natale qu'il a servie avec tant de dévouement. »Le tombeau d'un chrétien est comme
une de ces pierres de commémoration que les
patriarches élevaient au bord de la route, au lieu
où ils se séparaient pour un peu de temps.« Il
restera au milieu de nous tous, ses amis! Son

âme, arrivée la première dans le repos, soutiendra celles qui sont encore dans la lutte, en leur rappelant à quel prix s'achète la couronne de l'immortalité !

Errata.

Page 31 ligne 23 lisez: la plupart avaient
» 74 » 20 » symbolisme
» 101 » 12 » St. Pirmin
» 176 » 14 » circonstance
» 196 » 27 » qui avaient osé.

TABLE DES MATIÈRES.

Imprimé en France
FROC030106191020
25456FR00012B/255